예수사랑과 인생 2막

- 아프리카로 가는 길 -

예수 사랑과 인생 2막

발 행 | 2024년 02월 19일
저 자 | 박 용 우
펴낸이 | 한건희
펴낸곳 | 주식회사 부크크
출판사등록 | 2014.07.15(제2014-16호)
주 소 | 서울특별시 금천구 가산디지털1로 119 SK트윈타워 A동 305호
전 화 | 1670-8316
이메일 | info@bookk.co.kr

ISBN | 979-11-410-7262-9

예수 사랑과 인생 2막

- 아프리카로 가는 길 -

박 용 우

PROLOGUE

Chapter 1 예수 사랑을 깨닫다·17

Chapter 2 아프리카로 가라!·59

CONTENTS

예수 사랑과
인생 2막

예수 사랑과
인생 2막

예수 사랑으로 인생 2막이 시작되다

"내가 진정, 이 뇌성마비 아이를 사랑해서 돌보는 걸까? 아니면 동정심에서 돌보는 걸까?"라고 생각하는 순간, 누군가 내 등 뒤에서 나를 꼭 끌어안아 주었다.

바로 예수님이셨다.

내 등 뒤로 뜨거운 사랑의 감정을 쏟아부어 주셨다.

그 사랑의 감정은 다시 내 품에 안겨 있던 2살 난 뇌성마비 아이한테 흘러 들어갔다.

그 순간, 뇌성마비 아이가 너무나 사랑스러워 보였다.

사랑의 통로로 쓰임 받다

매주 토요일 오후, 나는 뇌성마비 아이들을 돌보는 복지기관에서 자원봉사활동을 하곤 했다.

뇌성마비 아이들은 제대로 걷거나 앉아있지도 못하고, 그저 방바닥에 누워서 이리저리 뒹굴 뿐이었다. 아이들을 돌보는 순간마다, 늘 예수님은 나와 함께 하셨다. 예수님은 내게 아이들을 사랑할 수 있는 마음을 주셨고, 사랑의 통로로 쓰임 받고 있다.

예수님의 첫사랑을 경험한 이후, 세상 만물들이 모두 사랑스러워 보였다. 하물며, 길가에 있는 가로수의 나뭇잎 하나하나가 바람결에 흔들릴 때마다 사랑스러워 보였다.

과거에는 만나는 사람들의 얼굴을 볼 때마다, '잘 생겼다, 못 생겼다.'라며, 외모만 보고 판단했던 나의 습관도 사라졌다. 그동안, 나를 괴롭히고 미워했던 모든 사람들을 용서하고, 그들을 위해 중보기도를 하기 시작했다. 만나는 모든 사람들의 얼굴 표정들을 바라볼 때마다, 괴로워하거나 슬퍼하는 사람들을 위해 축복기도를 해주었다.

아프리카 선교사로 부름 받다

2002년 봄 어느 날, 기도 중에 성령께서 내게 **"기다려라, 인내하라, 기회가 올 것이다!"**라는 세 마디의 말씀을 하셨다.

삼성경제연구소에서 근무하던 때라 내게 승진의 기회가 올 것이라고 믿었다. 그러나 승진 소식보다는 오히려 직장에서 나의 입지가 더욱 어려워졌다. 2004년 4월, 주일예배 중에 결단의 찬송을 부르고 있는데, 갑자기 예배당 천장에서 우레와 같은 소리가 들렸다.

"아프리카로 가라!"

음성을 듣자마자 나는, "하나님, 저는 지금 나이가 많아서 그 험한 아프리카에 갈 수가 없습니다. 제가 젊은 청년이라면 몰라도, 그리고 돌보아야 할 가족이 있습니다."라고 나는 하나님께 반문했다.

한 번도 선교사의 길을 생각해 본 적이 없었던 내가, 한순간에 가족과 직장을 모두 내려놓을 수는 없었다.

더구나 중년이 지난 나이에 아프리카로 가라는 선교사 소명을 받아들이기에 너무 벅찬 나는, 그만 주저앉아 하염없이 눈물만 흘렸다. 그 후, 일주일 내내 눈물로 기도하다, 결국 하나님의 뜻에 순종하기로 결심했다.

다음 해 8월, 어느 날 저녁에 농촌 봉사활동을 함께 하던 청년들에게 성경 말씀을 전하기 위해 마태복음 7장 7절을 읽는 순간이었다.

"구하라!" 말씀을 읽는 순간, 성령께서 **"너는 무슨 걱정이 그리도 많으냐? 너의 짐을 모두 내게 맡겨라. 내가 너의 모든 삶을 책임질 것이다."**라고 내게 말씀하셨다.

그 말씀을 듣는 순간, 내 마음속의 모든 근심 걱정이 한순간에 사라졌고, 내 마음이 후련함을 느꼈다. 당시 나는 삼성경제연구소에서 정년 퇴직 3년 앞두고 있었고, 감신대 목회신학대학원에서 신학공부를 하고 있었다.

그러나 연구소에서 외부기관의 경영컨설팅을 계속 맡게 되면서, 신학공부와 병행할 수가 없어 많은 고민을 하고 있었다. 그런 내게 성령께서 '직장을 그만 두라!'라는 말씀을 주셨고, 그 말씀만 믿고, 바로 연구소에 사표를 낼 수가 있었다.

23년이나 근무했던 직장이라 6개월간의 안식년을 받았고, 목회신학대학원 한 학기를 마칠 수가 있었다.

퇴직을 3개월 앞두고, 뜻밖에 숭실대 중소기업대학원 최고경영자과정 부원장으로 초빙 받았고, 학부 강의도 하게 되어 많은 학생들에게 복음을 전할 수 있는 기회도 갖게 되었다.

숭실대 교수로 재직하면서 청년들이 하나님 말씀으로 세상을 지혜롭게 살아갈 수 있는 방법을 제시한 **'마음경영의 5가지 성공법칙'**이라는 복음 전도서를 출판하기도 했다. 이렇게 하나님의 은혜 가운데, 3년간의 목회신학대학원 석사과정을 모두 마치고 탄자니아로 선교 체험을 떠났다.

Wesley Mission Tanzania를 세워라!

2010년 2월 1일, 평소처럼 새벽 4시에 일어나 기도하던 중, 갑자기 성령께서 내게 **"Wesley Mission Tanzania를 세워라!"**라는 음성을 들려주셨다.

한 번도 선교단체를 세우겠다는 생각을 한 적이 없었기에 너무나 당황스러웠다. 그러나 하나님은 우리가 탄자니아에 현지 선교단체를 세우기를 원하셨던 것이다.

곧바로 선교단체 설립을 위해 탄자니아 주재 한국 NGO단체와 한인 선교사들에게 자문을 구했다.

그런데 대부분 현지인 변호사를 통해 탄자니아 정부로부터 단체 설립 인가를 받았단다. 그러나 우리는 변호사를 고용할 선교비조차 없었다. 그 당시, 자비량 선교를 시작했기에 소속 교회는 있었지만, 넉넉한 선교비 지원은 없었다.

2010년 2월부터 본격적인 선교단체 설립을 위해 우리는 선교단체 정관을 작성하고, 단체 설립을 위한 현지인 회원을 모집했다.

그리곤 탄자니아 내무부에서 요구하는 모든 서류들을 구비해서 3월 중순경에 선교단체 인가 신청을 모두 마쳤다.

내게 능력 주시는 하나님

탄자니아 내무부에 선교단체를 신청한 후, 하루빨리 인가가 나기만을 기도하며 기다렸다.

그러나 1년이 지나고, 2년이 지나도 인가가 나지 않았다. 날마다 하나님께 선교단체 인가가 날 수 있도록 간절히 기도하던 중, 어느 날 새벽, 잠결에 내 입술에서 **"내게 능력 주시는 자 안에서 내가 모든 것을 할 수 있느니라."**(빌 4:13)라는 말씀이 터져 나왔다.

그 후, 나는 하나님께 기도의 응답을 받기 위해 21일 금식기도를 시작하였다. 금식기도를 하다가 뒤로 넘어져 잠시 정신을 잃기도 했지만, 이내 다시 정신을 차리고 기도했다.

얼마 후, 하나님은 우리가 선교단체 인가를 도울 수 있도록 현지인 국회의원을 인도하셨다. 그래도 선교단체 인가가 나지 않자, 우리는 탄자니아 선교가 하나님의 뜻이 아닌 줄로만 알고, 모든 선교 사역을 정리하고 한국으로 귀국할 준비를 하고 있었다. 한국으로 귀국하기 20일 전, 탄자니아 내무부로부터 선교단체 인가가 났다는 연락을 받았다.

하나님께서 우리를 2년 7개월 동안 기다리게 하신 것은, 탄자니아에서 선교의 열매를 맺기 위해 오랫동안 참고 인내하며, 기다려야만 한다는 사실을 내게 깨우쳐 주시기 위한 것이었다.

예수님은 너를 정말로 사랑하셔!

나는 아이들을 볼 때마다, 내 손바닥으로 아이의 양 볼을 감싸주며, "예수 아나쿠펜다 싸나!(Yesu anakupenda sana!, 예수님은 너를 정말로 사랑하셔!)"라며 기도해 준다.

지금까지 수많은 아이들을 위해 기도해 줄 때마다, 모든 아이들이 얼굴에 함박웃음을 지으며 너무나 기뻐했다. 탄자니아에는 많은 결손가정의 아이들이 부모의 사랑에 메말라 있다. 그래서 그런지 사랑의 표현에 익숙하지가 않다.

그러나 아이들이 '예수님의 사랑'이라는 말을 듣는 순간, 내심 숨길 수 없는 기쁨을 표현한다.

우리는 탄자니아 내무부로부터 선교단체 인가를 받은 후, 모로고로에서 송게아로 선교지를 옮겼다. 처음으로 탄자니아 최남단 음빙가의 루송가 마을 보건소 마당에서 동네 아이들을 데리고 첫 선교사역을 시작했다.

매주 토요일과 일요일, 음빙가 루송가 마을 보건소 마당에서 산수와 미술 등 학습지도를 했고, 주일예배도 함께 드렸다. 예배 시작 전, 나의 색소폰 연주 소리에 멀리 떨어진 동네로부터 아이들이 삼삼오오 모였고, 옹기종기 모인 아이들과 함께 주일예배를 드렸다.

예배가 끝나면, 발전기를 돌려서 텔레비전으로 아이들에게 만화 영화도 보여주었다. 아이들은 우리가 외국인이라 호기심도 많았지만, 새로운 경험들을 신기해하고 재미있어 했다.

외떨어진 시골에 점차 소문이 나자, 멀리서 온 100여 명의 아이들이 매주 어김없이 자리를 채웠다. 주중에는 송게아 지역의 파차은네 동네 선교센터 건축 현장 바로 옆집 마당에서 아이들에게 학습지도를 시작했다.

유치원생부터 초등학교 7학년까지의 아이들 약 80명이 날마다 모였다. 공부하는 아이들 중에 무슬림 가정의 아이들도 꽤 있었다. 열심히 공부하는 아이들을 볼 때마다 흐뭇했다. 꾸준히 참석하여 학습하는 아이들은 금세 실력이 부쩍 늘었고, 자신감도 생기는 것 같았다.

하루빨리 선교센터가 완공되어 더 좋은 환경에서 아이들을 가르치고, 주일 예배도 함께 드리고 싶다는 소망이 더욱 간절해졌다. 그리고 무슬림 가정의 아이들을 통해 무슬림 가정에 복음이 전파되고 구원받기를 기도했다.

함께 이루는 하나님의 뜻

탄자니아에서 선교사역을 시작한 지도 어언 16년이 되었다. 내 나이 55세에 이곳에 첫발을 내디뎠는데 이제 71세가 되었다.

앞으로 탄자니아에 신학대학을 세우는 마지막 소명이 남아 있다. 신학대학 설립을 통해 탄자니아 청년들이 하나님의 말씀을 배우고, 예수님의 참 제자들로써 사회 각 분야에서 하나님의 뜻을 이루어 나가는 전도자들이 되길 소망한다.

"여호와는 나의 목자시니 내게 부족함이 없으리로다 그가 나를 푸른 풀밭에 누이시며 쉴 만한 물 가로 인도하시는도다 내 영혼을 소생시키시고 자기 이름을 위하여 의의 길로 인도하시는도다………내 평생에 선하심과 인자하심이 반드시 나를 따르리니 내가 여호와의 집에 영원히 살리로다."(시 23편)

나는 매일 새벽 기도할 때마다 시편 23편을 묵상한다.

왜냐하면 내가 처음 예수님을 만나 사랑받고, 푸른 풀밭이자 쉴만한 물가인 탄자니아 땅에 보냄을 받았으며, 선교사역을 하는 동안, 많은 고난과 시련 가운데서도 하나님께서 선교의 열매를 맺어갈 수 있도록 인도해 주셨기 때문이다.

그래서 나는 이 시편 23편 말씀이, 곧 우리의 선교 사역의 과정들을 단적으로 표현해 주는 말씀이라고 생각한다.

분명 하나님의 뜻이기에 이 모든 일들을 이루시리라 믿고 있다. 지난날을 돌이켜보면, 모든 고난의 시간이 하나님에 대한 은혜와 감사가 되었다.

우리는 하나님의 역사하심을 깨달음으로써, 선교의 열매를 맺어가는데, 더 없는 행복한 인생을 살아가고 있다.

지금도 보이지 않는 소망만을 바라며, 축복받는 삶을 살아가도록 인도해 주신 하나님께 날마다 감사하고 있다. 또한, 우리에게 기도와 물질로 도움을 주신 후원자들과 후원 교회들에게 감사한 마음을 가지고, 날마다 하나님께 간절히 기도하고 있다.

2024년 3월 3일

청목 박 용 우 선교사

Chapter 1 예수 사랑을 깨닫다

- · 뇌성마비 아이와의 만남
- · 성령의 기도
- · 옛사람과 새사람
- · 네 이웃을 사랑하라

"네 마음을 다하고 목숨을 다하고 뜻을 다하고 힘을 다하여 주 너의 하나님을 사랑하라 하신 것이요 둘째는 이것이니 네 이웃을 네 자신과 같이 사랑하라 하신 것이라 이보다 더 큰 계명이 없느니라."(막 12:30~31)

1. 뇌성마비 아이와의 만남

내 인생 2막의 시작은 한 뇌성마비 아이와의 만남에서 시작되었다.

뇌성마비 아이와의 만남에서 예수님을 만났고, 예수님의 사랑도 받았다. 예수님의 사랑을 체험한 이후, 내 인생에 커다란 전환점을 맞았다. 우리는 이 세상에 사랑받기 위해 태어난 사람들이다.

결코 미움을 받거나 버림받기 위해 태어난 사람들이 아니다. 하나님은 독생자 아들 예수 그리스도를 이 세상에 보내셨다. 예수님은 우리를 아무 조건 없이 영원히 사랑하셨다.

예수님의 사랑은 우리가 노력해서 얻는 것이 아니라, 바로 예수님의 선택이요, 은혜인 것이다. 예수님의 사랑은 일시적인 사랑이 아니라 **'끝까지 사랑하시는 영원한 사랑'**이다.

설사 우리의 마음이 변했거나 잘못을 했어도, 우리를 용서하시고 변함없이 사랑하신다. 만약 우리가 예수님의 사랑을 받는다면, 우리의 삶 속에서 풍성한 아름다운 열매를 맺는다.

예수님은 우리가 세상 어느 곳을 가든지 사랑을 통해 많은 열매를 맺게 해 주신다.

"내 계명은 곧 내가 너희를 사랑한 것 같이 너희도 서로 사랑하라 하는 이것이니라."(요 15:12)

예수님은 제자들에게 서로 사랑하라고 말씀하신다.

진정 우리가 예수님의 크신 사랑을 받는다면, 바로 그 사랑이 어디로 흘러가야 하는지를 알게 된다. 예수님은 자신의 돌보심을 필요로 하는 사람들에게 특별한 관심을 가지고, 그들을 구원하셨다.

세상에서 낮은 곳에 있는 사람들, 즉, 가난한 사람들과 고아들, 그리고 병든 사람들과 죄인들에게 다가가셨다.

밀레니엄시대, 첫 부활절 예배

밀레니엄시대 첫 부활절, 시청 앞 정동길에 위치한 정동교회 예배당을 찾았다.

정동교회는 1885년 10월 11일, 한국 최초의 감리교 선교사였던 미국인 아펜젤러 목사가 세운 감리교 최초의 교회다.

예배당에 들어선 순간, 많은 교인들의 찬양 소리가 내 귓가에 울리자, 내 마음은 설레기 시작했다.

한 번도 느껴보지 못했던 감미롭고 기쁨을 주는 찬송가였다. 마치 하나님의 품 안에 들어온 편안한 느낌이었다.

처음 느껴보는 아주 신비로운 경험이었다. 어린 시절, 고향에서 천주교 유치원을 2년간 다녔었다. 젊은 대학생 시절에는 4년 간 깊은 산사에서 공부하며, 불교의 진리에 깊이 빠졌었다. 법당 안 부처 앞에서 108배를 하기도 하고, 천수경과 반야심경을 외우기도 했다. 공군 장교의 기본 군사훈련 시절, 군부대 교회의 주일예배에 몇 번 참석했던 적이 있었다.

그런데 23년만에 정동교회의 부활절 예배 참석을 계기로 기독교로 개종했다. 바로 이 주일예배의 참석이 나의 인생 2막이 시작되리라 곤 꿈에도 상상하지 못했다.

'영락 애니아의 집'과 '천사의 집'

"세상 가운데 나보다 더 힘들고 어렵게 살아가는 사람들은 어떤 사람들일까?"

주위를 둘러보니, 정말 많은 사람들이 어렵게 살아가고 있었다. 매주 토요일 오후, 나는 뇌성마비 아이들을 돌보는 기관에서 처음 봉사활동을 시작했다.

처음엔 방 안에서만 누워있던 뇌성마비 아이들을 유모차에 태워 마당을 이리저리 돌아다니곤 했다. 바깥세상을 볼 때마다 기뻐하는 아이들의 환한 웃음에 나 역시 행복했다.

차츰 아이들과 가까워지면서, 잠자는 방을 청소하거나 목욕을 시키거나 식사 시중을 들었다. 뇌성마비 아이들은 제대로 걸어 다니지도 앉아있지도 못하고, 그저 방바닥에 누워있거나 이리저리 굴러다니고 있었다.

탄자니아에 오기 전까지는 장애인 자원봉사팀에 참여하여 의정부 소재 '천사의 집'에서 장애인들을 섬기는 자원봉사활동을 정기적으로 했었다.

"주라 그리하면 너희에게 줄 것이니 곧 후히 되어 누르고 흔들어 넘치도록 하여 너희에게 안겨 주리라 너희가 헤아리는 그 헤아림으로 너희도 헤아림을 도로 받을 것이니라."(눅 6:38)

예수님은 우리에게 이기적인 탐욕에 빠지지 말고, '궁핍한 이웃들'에게 자비를 베풀라고 말씀하신다. 나중에 하나님께서 **'누르고 흔들어 넘치도록'** 큰 보상을 하신다고 말씀하신다.

오직 어려운 이웃들에게 베풀 수 있는 사람만이 행복한 사람이다. 사랑을 베푸는 것이 사랑을 받는 것보다 더 큰 기쁨을 느낄 수 있다는 사실을 깨닫는다면, 우리의 삶 속에서 진정한 행복감을 느낄 수가 있다. 그래서 우리는 주위 사람들에게 많은 사랑을 베풀어야만 한다.

뇌성마비 아이를 사랑하다

2000년 4월, 화사한 봄날 토요일 오후, 평소처럼 점심때, 2살 난 뇌성마비 아이를 내 품에 안고 죽을 떠 먹이고 있었다.

아이는 먹는 것조차 힘든 지, 얼굴을 찡그리며 먹던 죽을 다시 내뱉는다. 그럴 때마다 다시 죽을 아이의 입에 넣어주었다.

나는 죽을 먹고 있는 아이의 얼굴을 물끄러미 바라보며, '내가 정말 이 아이를 사랑해서 돌보는 걸까? 아니면 동정심 때문일까?'라는 생각이 내 머릿속을 스치고 지나갔다.

그 순간, 누가 내 등 뒤에서 나를 꼭 끌어안아 주었다.

내 등 뒤로 뜨거운 사랑의 감정이 마치 물 흐르듯 쏟아져 들어오는 것이 아닌가? 이내 곧 뜨거운 사랑의 감정은 내 가슴을 통해 뇌성마비 아이에게 흘러 들어갔다. 순간 아이의 얼굴이 너무나 사랑스러워 보였다.

"누가 내 등 뒤에서 나를 꼭 끌어안았을까?"

뒤돌아보았지만 아무도 없었다. 내 생애 단 한 번도 경험해보지 못했던 놀랍고도 기이한 체험에 온몸이 전율했다.

항상 눈앞에 보이는 현실 세계 속에서 살아왔기에 보이지 않는 영적 세계가 존재한다는 사실에 놀랐다.

"과연 누가 나를 끌어안았을까?"

곰곰이 생각해 보니, **"예수님이 아니었을까?"** 라는 생각이 들었다. 예수님의 사랑을 받고 나서야, 비로소 뇌성마비 아이를 사랑하게 된 것이다. 처음으로 느꼈던 예수님의 첫사랑이었다.

예수님의 사랑은 세상적인 그 어느 사랑과도 비교할 수가 없었다. 무어라 말로 표현할 수도 없었다. 예수님의 사랑을 경험한 이후, 눈에 보이는 세상의 모든 사물들이 아름답게만 보였다. 심지어 강렬한 햇볕이 바람에 흔들리는 나뭇잎들 사이로 비칠 때마다, 얼마나 아름답게 보였던지...

그동안 마음속에 품었던 미운 감정들마저 마치 햇볕아래 눈 녹듯이 사라졌다.

예수님의 사랑 없이 과연 뇌성마비 아이를 사랑할 수 있었을까? 아마도 사랑할 수 없었을 것이다. 그러나 예수님은 나를 사랑하셨고, 나 또한 뇌성마비 아이를 사랑하게 되었다.

예수님은 세상 가운데 고통받고 살아가는 사람들을 진정 사랑하셨다. 예전에 나는 예수님이 과연 어떤 분이신 지를 잘 알지 못했다.

한 번도 예수님에 관해 관심을 갖거나 깊게 생각해 본 적도 없었다. 뇌성마비 아이를 통해서 비로소 예수님이 어떤 분이신 지를 분명히 알게 된 것이다.

사랑의 통로와 중보 기도자

"너희가 나를 택한 것이 아니요 내가 너희를 택하여 세웠나니 이는 너희로 가서 열매를 맺게 하고 또 너희 열매가 항상 있게 하여 내 이름으로 아버지께 무엇을 구하든지 다 받게 하려 함이라."(요 15:16)

예수님은 먼저 제자들을 선택하셨다고 말씀하신다.

우리 역시 우리가 예수님을 선택한 것이 아니요, 예수께서 우리를 구원하시고자 선택하신 것이다.

우리는 예수님의 선택을 받기만 하면, 삶 가운데 풍성한 아름다운 열매를 맺을 수가 있다. 예수님은 우리가 세상 어느 곳을 가더라도 사랑으로 많은 열매를 맺게 해 주신다.

우리가 사랑의 마음으로 예수님께 구하기만 하면, 모든 것을 다 이루어 주신다. 세상 그 어느 누구도 사랑할 수 있는 마음을 갖게 된다. 나 역시 예수님의 사랑을 받은 이후, 항상 내 마음은 사랑의 마음으로 가득 채워졌다.

과거에는 만나는 사람들의 얼굴을 볼 때마다, '잘 생겼다, 못 생겼다.'라고 외모만 보고 판단했던 나의 편견도 사라졌다.

단지 사람들의 얼굴 표정이 불안하거나 슬퍼 보일 때, 측은지심(惻隱之心)의 마음으로 그들을 위해 축복 기도를 해 주었다.

'나'라는 존재가 통각의 객체에서 통각의 주체로 변한 것이다. 시간이 지날수록 기도해주어야 할 사람들의 수가 늘어났다. 어떤 날은 하루 약 1천명의 사람들을 위해 중보기도를 했다.

지금도 탄자니아 아이들과 후원자들, 그리고 후원교회들을 위해 꾸준히 중보기도하고 있다. 힘들지만 중보기도하는 시간이 나의 하루 시간 중, 가장 기쁘고 행복한 시간이다.

매일 많은 사람들을 위해 중보기도를 하다 보니, 사람들을 만날 때면, 자연 상대방의 마음이 내게 전달되는 것을 느낄 수가 있다. 성령께서 내게 중보기도해 주는 사람들과 공감할 수 있는 마음을 주신다.

그래서 만나는 사람의 마음이 편안하면 편안한 마음이, 불안하면 불안한 마음이, 기쁘면 기쁜 마음이, 슬프면 슬픈 마음이 그대로 내 마음에 전달되었다. 중보 기도자는 공감의 능력을 가지게 된다.

시냇물은 항상 흘러야 깨끗하게 보이듯, 사랑 역시 우리 자신이 하나의 통로가 되어 쉽게 다가갈 수 없는 소외된 사람들에게 흘러갈 때, 비로소 하나님의 사랑과 축복이 우리에게 임한다.

2. 성령의 기도

"이와 같이 성령도 우리 연약함을 도우시나니 우리가 마땅히 기도할 바를 알지 못하나 오직 성령이 말할 수 없는 탄식으로 우리를 위하여 친히 간구 하시느니라."(롬 8:26)

사도 바울은 우리가 힘들고 어려울 때, 성령께서 우리의 연약함을 아시고, 은혜와 간구의 영으로써 우리를 돕는다고 말씀하고 있다.

성령께서 우리가 어떻게 기도해야 할지 알고 계시기에, 하나님의 뜻에 맞도록 기도하신다. 우리의 삶 가운데, 영적으로나 육체적으로 힘들고 어려울 때, 기도하기란 쉽지 않다.

중요한 것은 우리가 집이나 직장이든, 혹은 교회에서 기도할 때, 때와 장소를 가리지 않고, 성령께서 우리와 함께 하신다는 사실이다.

우리는 사회생활 가운데 날마다 많은 사람들을 만난다.

물론 만남 가운데 좋은 감정을 주는 사람도 있지만, 불쾌한 감정을 주는 사람들도 있다. 어떤 사람은 만남에서 상대의 마음에 상처를 주기도 한다. 우리는 태어나서 누구를 만나느냐가 대단히 중요하다. 심지어 우리의 삶 가운데 잘못된 만남으로 우리의 인생이 불행해질 수도 있기 때문이다. 만약 우리의 마음속에 날마다 누군가를 미워하거나 증오한다면, 마음속에 증오의 씨앗을 뿌리는 것과 같다.

그러나 증오의 씨앗을 뿌리기보다 사랑의 씨앗을 뿌린다면, 먼 훗날 그 사랑의 씨앗들이 자라 아름다운 마음의 정원을 만든다. 그럴 때, 우리의 인격은 변화되고, 나아가 성숙된 삶을 살아가게 된다.

그래서 우리는 날마다 성령과 함께 하는 기도로 영적인 경건함과 강건한 육체를 유지함으로써 아름다운 마음의 정원을 가꿀 수가 있는 것이다.

묵상 기도

"복 있는 사람은 악인들의 꾀를 따르지 아니하며 죄인들의 길에 서지 아니하며 오만한 자들의 자리에 앉지 아니하고 오직 여호와의 율법을 즐거워하여 그의 율법을 주야로 묵상하는도다." (시 1:1-2)

하나님의 말씀을 묵상하는 사람은 바로 복 있는 사람이다.
예수님을 처음 만난 이후, 매일 새벽 3시만 되면, 잠에서 깨어 직장 출근 전까지 3시간 내지 4시간씩 무릎을 꿇고 기도했다. 새벽에 기도하는 시간이 하루의 가장 행복하고, 기쁨을 느낄 수 있는 순간이었다.

처음 묵상기도를 시작할 때, 단 5분 간도 지속하기 어려웠다. 기도하려고 눈만 감으면, 온갖 세상의 잡념들이 떠오른다. 그러나 하루, 이틀.... 날이 갈수록 10분, 20분, 30분, 1시간, 3시간..... 계속해서 묵상기도의 시간을 늘려갈 수가 있었다.

중요한 것은 기도하기 전, 우리 마음속에 가지고 있는 세상의 모든 잡념들 - 정욕, 탐욕, 걱정, 두려움, 불안 등 - 에 대한 생각들을 다 내려놓아야 한다.

묵상기도를 하기 위해서는 새벽녘, 혼자만이 있을 수 있는 조용한 공간에서 눈을 감고, 과거에 경험했던 아름다운 자연의 모습들을 떠올린다.

잔잔한 호수, 숲이 우거진 계곡, 갈매기 나는 푸른 바다, 산들바람이 부는 들녘 등을 머릿속에 떠올리며 5분 정도 정신을 집중시켜 무념무상(無念無想)의 상태로 들어간다.

온 정신이 집중되면 **'마음을 비운다!'**라는 생각으로 '텅 빈(空) 마음' 즉, 무욕(無慾)의 경지로 들어간다.

마음속 깊이 자리 잡았던 불안과 두려움, 근심, 걱정 등의 부정적 사고가 사라진다. 대신 **'텅 빈(空) 마음'** 속에 사랑과 평안, 배려, 기쁨 등의 긍정적인 생각들로 가득 차게 된다.

우리 마음이 경건한 마음의 상태가 되는 것을 느끼게 된다.

바로 그때, 마음속으로 성경 구절을 수십 번 되뇌다 보면, 살아있는 말씀이 나와 하나가 되는 순간이 온다.

그 순간, 말씀에 대한 깨달음을 얻게 된다. 그럴 때, 우리의 생각이 깊은 영적 세계로 들어가게 되고, 마치 하나님의 품 안에 안겨 숨결을 느끼며, 기도하는 느낌이 든다.

"나는 어떤 모습으로 변하는 것이 좋을까?"

평소 우리의 생각과 행동, 습관 등을 뒤돌아보고, 진실된 마음으로 회개한다. 그럴 때, 나 자신을 올바로 알게 되고, 영적 깨달음을 얻게 된다.

예전에 나는, 하나님께 **"저를 바닷가에서 오랜 세월 동안 파도와 싸워온 아주 매끄럽게 다듬어진 조약돌처럼 제 성품을 온유하고 부드럽게 다듬어 주세요!"**라며 기도하곤 했다.

정말 하나님은 나를 바닷가의 조약돌처럼 다듬어 주셨다.

우리는 세속적으로 단지 육체적인 눈과 귀로만 세상을 보고 듣는다면, 이기적인 욕심에 사로잡혀 우리 자신을 정확히 알지 못한다.

성경 말씀을 통한 영적 깨달음만이 영적인 세계를 알 수가 있고, 영적인 삶을 가능하게 해 준다. 영적인 눈과 귀를 가지기 위해서, 바로 이 묵상기도가 중요하다.

빛으로 오신 예수님

어느 날, 평소와 같이 새벽에 일어나 무릎을 꿇고 회개기도를 하는데, 갑자기 눈앞에 밝은 빛이 소용돌이치며, 내 마음속으로 들어오는 것을 느꼈다.

순간, 온 전신에 전율이 일면서 회개의 눈물을 흘리며, 대성통곡을 한 적이 있었다. 과거 잘못된 행태들이, 마치 고구마줄기처럼 연이어 떠오르면서 눈물을 흘렸던 것이다.

흐르는 눈물은 그치지 않았고, 회개 기도가 끝나자, 과거 인생가운데 지울 수 없었던 무거운 짐들을 다 내려놓은 듯, 내 마음은 너무나 홀가분하고 개운했다.

마치 한 여름 낮, 온몸에 땀과 먼지가 뒤범벅이 되어버린 몸을 깨끗한 물로 시원하게 씻어 내린 느낌이었다. 마치 하늘을 훨훨 날아갈 듯한 기분이었다.

"예수께서 이르시되 아직 잠시 동안 빛이 너희 중에 있으니 빛이 있을 동안에 다녀 어둠에 붙잡히지 않게 하라 어둠에 다니는 자는 그 가는 곳을 알지 못하느니라 너희에게 아직 빛이 있을 동안에 빛을 믿으라 그리하면 빛의 아들이 되리라."(요 12:35~36)

예수님은 우리에게 어둠에 붙잡히지 말고, 빛의 아들들이 되라고 말씀하신다. 빛의 아들이 된다고 하는 것은 오직 빛으로 오신 예수 그리스도를 믿는 것이다.

어느 날, 나는 꿈속에서 빛으로 오신 예수님을 만난 적이 있었다. 꿈속에서 나는 거실에서 기도하고 있는데, 예수님이 찾아오셨다. 예수님의 뒤에서 뿜어져 나오는 강력한 빛으로 인해 예수님의 형상을 또렷하게 볼 수가 없었다.

순간, 너무나 감격해서 예수님의 발아래서 엎드려 한없이 눈물만 흘리고 있었다. 예수님은 내게 하늘 문을 열어 보이셨다. 하늘 문을 열자, 나는 푸른 하늘을 보았고, 황홀함을 느꼈다. 그리고 예수님은 하늘 문을 닫으시고, 말없이 뒤돌아서, 그 자리를 떠나셨다.

깨어난 후에도, 나는 계속해서 눈물을 흘리며 울고 있었다. 얼마나 눈물을 흘렸던지, 잠옷 상의와 이불이 젖어 있었다.

예수님은 우리에게 항상 어둠에 붙잡히지 않게 조심하라고 말씀하신다. 나 역시, 항상 내 마음속에 지니고 있었던 지난날의 어둠이 성령의 빛으로 인해 모두 사라지고 말았다.

예수께서 늘 어둠 속에 갇혀 있었던 내 마음을, 세상의 빛 가운데로 이끌어 주셨다. 얼마나 마음이 기뻤던지, 마치 예수께서 **"네 죄 사함을 받았느니라!"** 라고 말씀하시는 것 같았다.

그 이후로, 내 마음은 모든 죄로부터의 자유함을 얻게 되었고, 더 이상 세상 죄의 굴레에 속박받지 않게 되었다. 우리가 평생을 평안한 마음으로 행복한 삶을 살아가려면, 세상의 죄로부터 벗어나야만 한다. 그래야 하늘나라 갈 때, 아무런 미련 없이 세상을 떠날 수가 있는 것이다.

기다려라! 인내하라! 기회가 올 것이다!

어느 날 새벽, 묵상 기도 중에 내 마음 깊은 곳에서 **"기다려라! 인내하라! 기회가 올 것이다!"라는 음성이 들려왔다.**

성령께서 내게 주시는 말씀이었다.

순간, 생각하기를 내가 근무하고 있는 직장에서 **"혹시, 좋은 소식이 있는 게 아닐까?"라며 기대감에 부풀었다.**

그 당시, 나는 삼성경제연구소에서 임원 승진의 소식을 기다리고 있었다. 그러나 1년이 지나고 2년이 지났어도, 아무런 희소식이 없었다. 오히려 직장에서 내가 하는 일들이 잘 풀리지 않았고, 나의 입지가 점점 어려워져만 갔다.

1997년 IMF 외환위기 당시, 국내 기업들이 경영에 어려움을 겪고 있을 당시, 삼성그룹도 예외는 아니었다. 그래서 신임 연구소장은 연구소 조직을 슬림화하고, 인력을 축소하였다. 물론 내가 맡고 있던 경영컨설팅실은 대외협력센터로 명칭이 변경되었고, 연구원 인력도 대폭 줄었다.

함께 근무했던 연구원들은 삼성그룹 관계사로 전출되면서, 나 역시, 연구소에 사표를 내고 말았다. 그러자 연구소장은 나의 퇴직을 적극 만류하면서, 임원 승진을 시켜 주겠다는 약속까지 했었다. 그래서 내가 들었던 성령의 말씀이, 바로 지난날 연구소장이 내게 했던 그 약속인 줄로만 알았다.

시간이 지나도 아무런 희소식은 없었다. 연구소장의 약속은 단지 나의 퇴사를 만류하기 위한 하나의 감언이설이었을 뿐이었다.

"다만 이뿐 아니라 우리가 환난 중에도 즐거워하나니 이는 환난은 인내를, 인내는 연단을, 연단은 소망을 이루는 줄 앎이로다."(롬 5:3-4)

사도 바울은 아무리 어려움이 닥칠지라도, 환난 가운데 인내와 연단이 곧 소망을 이룬다고 말씀하고 있다.

돌이켜보면, 지난 5년간, 나는 너무나 어려운 시련과 고통을 겪었다. 그런 내게 하나님은 미래 소망을 주셨던 것이다.

2년이 지난 후, '**아프리카로 가라!**'라는 하나님의 음성을 듣고 나서야, 비로소 성령께서 말씀하신 '**기회가 올 것이다!**'라는 의미가, 바로 아프리카 선교사의 길이라는 사실을 깨닫게 되었다.

쉬지 말고 기도하라!

우리는 삶 가운데, 어려운 역경을 만났을 때, 또는 병중에 있을 때, 하나님께 열심히 쉬지 않고 기도한다.

중요한 것은, 우리가 기도로 역경을 극복했거나, 병 나음을 받은 후에도, 늘 감사의 기도를 해야만 한다는 사실이다.

괴로울 때나, 가난할 때, 그리고 부유할 때도 기도는 언제나 쉬지 말아야 한다. 쉬지 않고 기도생활을 하려면, 먼저 기도 시간을 정하고, 그 시간에는 아무리 바빠도 꼭 기도해야만 한다.

무슬림들은 하루에 다섯 번씩 정해진 시간에 성지 메카를 향해 기도한다고 한다. 감리교 창시자인 존 웨슬리(John Wesley) 목사는 하루 여섯 번 기도를 했다고 한다. 어릴 적부터 어머니가 한 주에 한 끼 금식과 하루 3번 소리 내어 기도하는 법을 가르쳤다고 한다.

아침에 일찍 일어나서 또는 저녁 잠자리에 들기 전, 기도하기에 가장 좋은 시간이다. 아침을 기도로 시작해서 하루를 기도로 마치는 것이다.

"구하라 그리하면 너희에게 주실 것이요 찾으라 그리하면 찾아낼 것이요 문을 두드리라 그리하면 너희에게 열릴 것이니."(마 7:7)

예수님은 '기도는 구하고, 찾고, 문을 두드리는 것이다.'라고 말씀하신다. 우리는 하루의 모든 활동이 하나님께 드리는 기도가 되어야 한다. 이것이 곧, 쉬지 않고 기도하는 생활이다. 기도의 사람이 되어야 한다는 말씀이다.

"항상 기뻐하라 쉬지 말고 기도하라 범사에 감사하라 이 것이 그리스도 예수 안에서 너희를 향한 하나님의 뜻이니라."(살전 5:16~18)

"왜, 이렇게 쉬지 말고 기도해야 하는가?"

사도 바울은 '우리를 향한 하나님의 뜻'이라고 말씀하고 있다. 바로 하나님과 교통하는 우리 영혼의 호흡이다.

곧 우리가 숨을 쉬는 것과 같다. 숨 쉬지 않고 어떻게 살수 있을까? 물고기가 물을 떠나 살 수 없듯이, 우리의 영도하나님과의 교통이 없이는 살 수가 없다.

우리는 기도를 통하여 우리의 영혼이 장성할 뿐만 아니라더욱 아름다워진다. 마치 풀이 햇볕을 볼 때에 아름다워지는것처럼, 하나님과 교제할 때 우리의 영이 더욱 아름다워지고깨끗하게 된다. 더욱이 우리의 심령이 강건해지고, 시험에 들지 않는다. 악한 마귀는 항상 우리를 유혹에 빠뜨리려고 하나, 쉬지 않고 기도하는 심령은 감히 시험하지 못한다.

하나님은 기도의 사람에게 어떠한 난관도 극복하고, 시험들을 이겨내는 큰 능력을 주신다. 오직 기도만이 모든 악의권세를 정복하고 승리하는 신앙생활을 할 수 있다.

3. 옛 사람과 새 사람

　나는 과거 치열한 경쟁 속에서 살아남기 위해 몸부림쳤던 기억이 있다. 대기업에서 직장생활을 할 당시, 동료들과 치열한 경쟁을 했던 것이다.

　우리 모두가 좋은 환경 속에서 치열한 경쟁 없이 손쉽게 성공할 수만 있다면, 서로가 배려하는 착한 인성을 갖게 될 것이다.

　그러나 경쟁이 치열하고 열악한 환경이라면, 자신만이 살아남아야 한다는 이기적인 욕망을 갖게 되고, 주위 사람들을 경쟁상대로 인식할 것이다. 그러니 서로를 배려한다는 것은 쉽지 않을 것이다.

　특히, 1990년대 중반 이후, IMF 외환위기를 겪으면서 조직 내 경쟁은 더욱 치열 해졌다. 나는 삼성경제연구소 경영컨설팅실을 맡게 되면서, 금융기관, 정부기관, 공기업, 대학 등에서 컨설팅을 담당했었다.

　경영혁신 컨설팅을 진행할 때마다, 각 기관의 수많은 직원들과 상담을 했고, 그들의 고충을 들어주었다.

지난 20년간, 컨설턴트로 활동하면서 사회 각 기관의 직원들이 얼마나 힘들게 직장 생활을 하고 있는지 알게 되었다. 어느 조직이든 치열한 경쟁 속에서 직원들이 가슴앓이를 하는 것은 그 누구도 예외는 아니었다.

사실 컨설턴트로서 상대방의 고충을 들을 때마다, 내 마음이 착잡할 때가 많았다. 특히, 구조조정을 앞둔 기관들의 직원들일수록 그 두려움과 불안감은 더욱 컸다.

그렇게 하루하루를 살아가야만 하는 직원들의 심정은 더욱 각박했고 괴로웠을 것이다. 그 당시, 직원들이 최선의 선택을 할 수 있는 방법은 명예퇴직이었다. 그렇다고 모든 기업들이 어려운 상황에서 직원들이 딱히 다른 직장으로 재취업할 수도 없는 상황이었다. 중요한 것은, 우리 자신을 마냥 기업의 어려운 경영환경에 맡겨 둘 수는 없다는 사실이다. 우리는 과거 옛사람을 벗어나 새로운 환경에 적응할 수 있는 새사람으로 변모해 가려는 노력이 필요하다.

옛 사람을 벗어 버리다

가장 어려운 시기에 예수님을 만남으로써, 나 자신이 변화될 수 있었다.

예수님을 만난 이후, 성경 말씀에 깊이 빠졌었다. 예전에 한 번도 읽어보지 않았던 성경 말씀들이, 힘들고 어려웠던 내 마음을 바로잡아 주었다.

처음 1년 동안, 성경을 네 번이나 탐독하였다. 성경 말씀 하나하나가 모두 진리라는 사실과 살아 계신 하나님의 말씀이라는 사실도 깨달았다. 예수님을 만난 이후, 나의 생각과 행동, 그리고 습관까지 많은 변화를 겪게 되었다.

"너희는 유혹의 욕심을 따라 썩어져 가는 구습을 따르는 옛 사람을 벗어 버리고 오직 너희의 심령이 새롭게 되어 하나님을 따라 의와 진리의 거룩함으로 지으심을 받은 새 사람을 입으라."(엡 4:22~24)

사도 바울은 에베소교회 안에서 유대인과 이방인 간의 분열을 막고자 로마 감옥에서 썼던 말씀이다. 그리스도인들은 더 이상 과거 유혹의 욕심과 부패한 구습을 따르는 옛 사람에게 지배되지 말고, 새 사람을 입으라고 말씀하고 있다.

사도 바울 역시, 예수님을 만나기 전엔 그리스도인들을 핍박했던 사람이었다. 그러나 다메섹으로 가는 길에 환상가운데 예수님을 만남으로써, 자신이 진정 누구인지를 알게 되었고, 옛 사람을 벗어버리고 새 사람으로 거듭났던 것이다.

사울이라는 옛 사람은 사라지고, 바울이라는 새 사람이 된 것이다. 과거처럼 바울이 스데반을 돌로 치는 것이 아니라, 자기가 핍박했던 예수님을 대신해서 핍박받는 자로 거듭난 것이었다.

그러나 이러한 신비한 경험은 사도 바울만이 경험했던 것이 아니라, 지금도 많은 믿음의 사람들이 경험한다는 사실이다. 중요한 것은 예수님을 만난 경험을 가진 사람들이라면, 사도 바울처럼 옛 사람을 벗었을 것이다.

사도 바울은 '땅의 것'을 좋아하는 옛 사람을 벗어 버리고, 새 사람을 입어야만 한다고 말한다. 나 역시 사도 바울처럼, 옛 사람은 가고, 새 사람이 된 것이다.

우리도 빛으로 오신 예수님을 만나는 체험을 하게 되면, 사도 바울처럼 인생이 바뀌게 된다.

우리 자신 스스로가 변화한다는 것이 얼마나 어려운 일인가? 누구나 잘 알고 있는 사실이다. 우리의 타고난 인성은 나이가 들수록 바꾸기가 더욱 어렵다. 그래서 우리 스스로가 변할 수 없다면, 누군가의 도움을 받아서라도 자신을 새로운 환경에 적응해 나갈 수 있도록 변화시켜야만 한다.

또한, 과거 자신의 이기적인 욕심을 가지고 세웠던 자기중심적 인생의 꿈과 목표가 아니라, 오직 하나님 나라에 합당한 인생의 꿈과 목표를 가져야 할 것이다.

VIP(Very Important Person) Club

2001년 7월, 삼성경제연구소 근무 당시, 경영컨설팅으로 인연을 맺었던 어느 은행 간부가 내게 뜻밖의 연락을 해왔다.

사랑의 교회에서 장로들의 기도 모임이 있는데, 함께 참석하자는 것이었다. 나는 흔쾌히 기도 모임에 참석하겠다고 약속했다.

그런데 약속 하루 전날 밤에 꿈을 꾸었다. 꿈속에서 어느 큰 교회를 방문해서 2층으로 올라가 복도 맨 끝 방에 들어갔다. 그 방안에는 약 10명 남짓한 교인들이 모여 앉아 있었다. 나는 방안의 참석자들에게 인사를 나누며, 서로 환담을 나누는 꿈을 꾼 것이었다.

다음 날, 기도 모임에 참석하기 위해 강남에 있는 사랑의 교회를 찾아갔다. 바로 꿈속에서 보았던 교회나 교인들의 모습들이 너무나 똑같아, 나는 깜짝 놀라고 말았다.

아마도 성령께서 그 기도 모임을 통해 앞으로 성공적인 복음 전도가 이루어지리라는 예지의 꿈을 꾸게 하신 것이 아닌가 하는 생각이 들었다.

바로 이 모임은, 사랑의 교회에서 초 교파적으로 장로들이 모여 전문직에 종사하는 사람들을 대상으로 복음을 전하고자 발족했던 'VIP클럽'이라는 모임이었다.

"네가 내 눈에 보배롭고 존귀하며 내가 너를 사랑하였은즉 내가 네 대신 사람들을 내어 주며 백성들이 네 생명을 대신하리니."(사 43:4)

우리 모두는 하나님이 보시기에 보배롭고, 존귀하며, 사랑스러운 VIP들이다. 우리는 하나님의 백성으로서 특별한 사람들이다. 바로 이 성경 말씀을 근거로 VIP클럽이라는 전도 모임의 명칭을 정했던 것이다.

이 모임에는 금융인, 의사, 교수, 스튜어디스 등 각 분야에 종사하는 전문가들이 참여히였다. 처음엔 강남 VIP클럽 중심으로 월 1회 모임을 가졌다. 이후에 계속해서 압구정, 서초, 명동, 송파, 안양 등, 15개 지역별 VIP클럽을 발족했다.

나 역시, 첫 강남 VIP클럽에서 두 번째로 신앙 간증을 했다. 그리고 강남 VIP클럽의 회장직을 맡기도 하였다. 그러나 탄자니아 선교사로 파송받은 이후, 이 모임을 떠나게 되었다.

몇 년 후, 한국에 잠시 방문했을 때, 사랑의 교회에 방문한 적이 있었는데, 이 모임을 통해 수천 명의 직장인들이 구원받았다는 소식을 듣게 되었다.

행복한 습관, 용서와 축복의 기도

우리는 누구나 자신의 삶 가운데, 자신만의 독특한 습관을 지니고 있다.

습관은 자신도 모르는 사이에 형성된다.

일상생활에서 생각이나 말, 그리고 행동 등을 반복할 때, 습관을 가지게 된다. 심지어 어떤 습관을 가지고 있는가에 따라 인생의 행복과 불행을 좌우하기도 한다.

습관이야 말로 성공적인 삶을 살아가기 위해서는 중요한 요인이다. 따라서 불행한 습관을 행복한 습관으로 바꾸려는 노력이 매우 중요하다.

사람은 누구나 자신의 습관에 대해 다소 불만족스럽거나 마음에 들어 하지 않을 때가 있다. 이 경우 사람들은 바꾸려는 노력을 하다 가도 쉽게 포기해 버린다.

불행한 습관은 쉽게 익숙해지는 반면, 행복한 습관은 어렵게 형성된다. 행복한 습관을 익히기 위해서는 어느 정도의 계획이 필요하다. 작고 사소한 일부터 성취함으로써 행복을 습관화하는 것이 좋다.

2000년 초, 나는 지난날 살아왔던 일상의 습관들을 되돌아보게 되었다. 과연 누구를 위해서 살아왔는지, 과연 몇 번이나 어려운 이웃들을 위해 **"내가 했던 일이 무엇이었을까?"** 라며 기억을 더듬어 보았다. 돌이켜보면, 어려운 이웃들에게 인색했던 내 모습이 부끄럽게 생각되었다.

그래서 어려운 이웃들에게 눈을 돌리기 시작했다.

가장 먼저 뇌성마비 아이들을 돌보는 자원봉사활동을 시작했다. 지난날, 나는 많은 사람과의 인간관계 가운데 서로를 힘들게 했던 주위 사람들을 떠올렸다.

우리 주위에는 용서해주어야 할 사람과 용서받을 사람들이 많다. 만약 우리가 누군가를 용서할 수 없는 분노와 증오를 가지고 있다면, 우리의 마음과 육신은 병들어 갈 것이다.

나는 매일 새벽녘에 중보기도를 할 때마다, 지난날, 나를 미워하거나 힘들게 했던 모든 사람들을 위해 오랫동안 용서와 축복의 기도를 드린 적이 있었다.

"너희를 저주하는 자를 위하여 축복하며 너희를 모욕하는 자를 위하여 기도하라."(눅 6:28)

예수님은 우리를 저주하는 자를 위해 축복해주어야 한다고 말씀하신다. 만약 우리가 먼저 다른 사람들에 대한 잘못을 용서하지 않는다면, 우리의 잘못에 대해 하나님께 용서를 받을 수 없을 것이다.

우리는 현재이든 과거이든, 우리의 기억 속에서 우리 자신에게 상처를 주었던 모든 사람들을 마음속 깊이 용서하고, 축복해주어야 한다.

4. 네 이웃을 사랑하라

"네 마음을 다하고 목숨을 다하고 뜻을 다하고 힘을 다하여 주 너의 하나님을 사랑하라 하신 것이요 둘째는 이것이니 네 이웃을 네 자신과 같이 사랑하라 하신 것이라 이보다 더 큰 계명이 없느니라."(막 12:30~31)

나는 이 말씀을 묵상하며 전날에 있었던 일들을 회상하고, 회개기도 후에 중보기도를 시작한다.

예수님은 우리에게 목숨을 다하고 힘을 다해, 하나님을 사랑하라고 말씀하신다. 하나님은 우리가 사랑하기 전에 이미 우리를 사랑하고 계셨다. 단지 우리가 느끼지 못할 뿐이다.

"이웃을 위해 하나님께 간절히 기도해 본 적이 있는가?"

이웃을 위해 중보 기도한다는 것은 그리 쉬운 일이 아니다. 사회생활을 하다 보면 좋아하는 사람, 미워하는 사람들을 만나기 마련이다. 좋아하는 사람과의 인간관계는 우리의 마음의 문을 열어주고 기쁨을 주지만, 미워하는 사람과의 인간관계는 마음에 미움이나 분노를 일으킨다.

누군가를 미워하는 마음으로 인해 일상생활 가운데 스트레스를 받거나, 우울증에 시달리기도 한다.

중요한 것은 우리의 마음가짐이다.

상대방을 미워하기보다는 용서하는 마음을 갖는 것이다.

물론 미워하는 사람을 용서한다는 것은 그리 쉬운 일이 아닐 것이다. 그래서 용서하는 마음으로 상대방을 위해 중보기도를 하는 것이다. 물론 처음엔 다소 부자연스럽게 느껴질지 몰라도 기도를 거듭하면, 점차 용서하는 마음을 갖게 된다.

그리고 미워하는 마음도 점차 사라지기 시작하면서, 마음에 평안이 찾아온다. 예수님은 우리에게 이웃을 사랑할 수 있는 마음을 주신다. 또한 어려운 이웃들을 위해 섬김의 사랑을 실천할 수 있는 힘도 주셨다.

"나의 계명을 지키는 자라야 나를 사랑하는 자니 나를 사랑하는 자는 내 아버지께 사랑을 받을 것이요 나도 그를 사랑하여 그에게 나를 나타내리라."(요 14:21)

예수님은 "나를 사랑하는 자는 하나님의 사랑을 받는다."라고 말씀하신다. 만약 우리가 형제를 사랑하지 않는다면, 예수님의 사랑도 우리 마음에서 사라진다. 우리가 누군가를 사랑할 때, 예수님의 사랑이 우리 마음속에 거한다.

내 사랑 안에 거하라!

"아버지께서 나를 사랑하신 것같이 나도 너희를 사랑하였으니 나의 사랑 안에 거하라 내가 아버지의 계명을 지켜 그의 사랑 안에 거하는 것같이 너희도 내 계명을 지키면 내 사랑 안에 거하리라."(요 15:9~10)

예수님의 사랑 안에 거한다는 것은, 곧 예수님의 계명을 지키는 일이다. 하나님께서 예수님을 사랑하신 것처럼 예수님은 우리를 사랑하신다. 우리의 믿음생활 가운데 많은 열매를 맺기 위해서는 예수님의 사랑 안에 거하라고 말씀하신다.

예수께서 제자들에게 **"내 사랑 안에 거하라!"**라고 하신 것은 예수님 자신을 믿으라는 의미도 있지만, 예수님과 함께 연합하며 살아야 한다는 깊은 뜻도 있다.

예수께서는 제자들에게 포도나무 가지가 포도나무줄기에 붙어 있어야 그 생명력을 유지할 수 있듯이, 언제나 예수님과 함께 하는 삶을 살아갈 것을 말씀하셨다.

이는 곧 예수께서 자신의 목숨을 버려 제자들을 사랑하신 **'자기희생적 사랑'**을 말씀하신 것이다.

예수께서 이 땅에 육신의 몸으로 오셔서 우리들의 죄를 대속하사 십자가 위에 못 박혀 돌아가셨다. 그리곤 우리에게 새 생명을 주셨고, 무한한 사랑을 쏟아부어 주셨다.

예수님의 무한한 사랑은 이 우주 만물에 미치지 않는 곳이 없다. 예수님은 항상 우리 가까이에 계셔서 우리를 사랑하신다. 예수님의 사랑 안에 거하고, 계명을 지키는 사람은 항상 기쁨이 넘친다.

밤마다 잠들기 전, 침대 위에 누워 방 천장을 바라보며 예수님의 사랑을 생각해 보자!

정말 천장에서 예수님의 사랑이 마치 별빛이 하늘에서 쏟아지는 것처럼, 내 몸 위로 쏟아져 내려오는 것을 느낄 수가 있다. 그 순간, 예수님의 사랑의 이불을 덮고 자는 것처럼 느껴질 때, 비로소 깊은 잠에 빠져들게 된다.

우리가 진정 예수님의 사랑 안에서 평생을 살아가고자 한다면, 예수님에 대한 사랑의 확신이 있어야만 한다.

그래야 비로소 우리는 십자가 위에 달리신 예수님을 닮아 성화의 길을 걸을 수가 있다. 늘 우리의 마음을 지극히 낮은 자리에 두고, 겸손한 마음을 갖도록 노력해야만 한다.

나는 탄자니아에서 선교활동을 하면서, 비로소 예수님의 사랑의 힘이 하늘의 높음 같이 땅의 깊음 같이 심오하다는 사실을 깨닫게 되었다.

형제를 미워하는 자

"나는 너희에게 이르노니 형제에게 노하는 자마다 심판을 받게 되고 형제를 대하여 라가라 하는 자는 공회에 잡혀가게 되고 미련한 놈이라 하는 자는 지옥 불에 들어가게 되리라." (마 5:22)

예수님은 우리에게 하나님의 백성에 대해 노하거나 모욕한다면, 하나님의 심판을 받을 것이라고 말씀하신다.

우리가 형제에게 미움이나 증오를 품는 자는 예수님의 계명을 따를 수가 없다. 그래서 우리 마음속에 마귀처럼 미움이나 증오를 품지 않도록, 매일매일 사랑의 마음을 갖도록 노력해야만 한다.

2010년 2월, 한국에 잠시 귀국했을 당시, 아내의 친구를 만났던 적이 있었다. 그녀의 남편을 위해 안수기도를 해주고 싶었기 때문이었다. 그녀의 남편은 교회의 장로이자 중소기업을 운영하는 사장이었다.

5년 전에 만났을 때, 나는 그 사장의 얼굴을 보자마자, 참으로 좋은 사람이라는 것을 알 수가 있었다. 그의 얼굴에서 웃음이 떠나질 않았기 때문이었다. 우리는 만나는 사람의 얼굴 모습에서 그 사람의 마음을 알 수가 있다.

그러나 5년 후, 그를 다시 만났을 때에는, 그의 변한 얼굴 모습을 보고, 나는 깜짝 놀랐다. 왜냐하면 그의 얼굴에서 웃음이 사라지고, 어두운 얼굴 모습을 보았기 때문이었다.

이미 그는 돌이킬 수 없는 중한 암에 걸렸고, 죽음에 대한 두려움을 가지고 있었다. 그동안 그는 품행이 바르지 못한 동생에 대한 미움으로 오랫동안 마음고생을 했다.

그 당시, 담당 의사는 수술을 해야만 살 수 있다고 했지만, 그는 기도와 약물 치료만으로 살고자 노력했다. 그래서 우리는 함께 기도원에서 하나님께 간절한 마음으로 기도했다. 그의 마음속에 동생에 대한 미움이 사라지기 시작했다.

1년 후, 다시 그를 만났을 때, 놀랍게도 예전의 웃음 띤 얼굴의 모습을 볼 수가 있었다. 암도 많이 치료되었다. 나는 그의 손을 꼭 잡고 기도해 주었다. 그는 눈물을 글썽였다. 이제 예전처럼 운동도 하고 회사도 운영하게 되었다.

미움의 새끼줄

보통 미움을 받는 사람보다 미워하는 사람이 더 큰 고통을 받게 된다. 지금 우리의 마음 가운데 누군가를 미워하고 있다면, 당장 그를 위해 기도해야 한다.

만약 우리가 마음속에 미움의 새끼줄을 계속해서 꼬기 시작한다면, 사회생활 가운데 모든 일들이 다 꼬이고 만다. 더욱더 꼬인 새끼줄을 풀기 란 쉽지가 않다.

"내가 천국 열쇠를 네게 주리니 네가 땅에서 무엇이든지 매면 하늘에서도 매일 것이요 네가 땅에서 무엇이든지 풀면 하늘에서도 풀리리라 하시고."(마 16:19)

예수님은 우리에게 땅에서 매면, 하늘에서도 매인다고 말씀하신다. 우리 자신 스스로 얽혔던 새끼줄을 푼다는 것은 그리 쉬운 일이 아니다. 그래서 우리 마음속 깊은 곳에 자리 잡은 미움은, 우리 의지로 풀기보다는 예수님께 도와달라고 기도해야만 한다.

우리가 형제를 사랑할 때, 말과 혀로만 사랑하는 것이 아니라 일상생활 가운데 진정한 행동으로 보여주어야 한다. 만약 미운 감정을 가질지라도, 곧 사랑하는 마음을 가지려고 노력해야 한다.

그러나 형제들을 미워하는 사람은 항상 마음속에 고통을 느낄 수밖에 없다. 육체적인 고통은 극복할 수 있어도, 마음의 고통은 견디기가 어렵다. 마음의 고통이 사라지기 위해서는 예수님의 사랑에 의지해야만 한다.

우리가 형제들을 사랑할 때, 우리 자신을 사랑하게 되고, 행복감을 느낀다. 또한, 우리의 사랑이 행동으로 나타나야 한다. 사랑을 받는 사람보다 주는 사람이 더 행복하다. 나중에 하나님이 갑절의 축복을 주실 것이다.

소외된 아이들과 함께

새날쉼터에서 생활하고 있는 아이들과 엄마들......

이곳에 살고 있는 아이들과 엄마들은 가정 폭력으로 집에서 쫓겨나온 가정들이다.

오갈 데가 없어, 새날쉼터에 들어와 생활하게 된 것이다. 남편의 가정 폭력으로 쫓겨나오거나 도망 나온 가정들이어서, 나올 때 가지고 나온 돈이나 물건들이 별로 없다. 아이들의 엄마들은 대부분 어렵게 직장을 구해 하루벌이로 살아가는 경우가 대부분이다.

2004년 3월, 처음으로 새닐쉼터 아이들과 첫 인연을 맺었다. 그래서 매월 얼마간의 후원금을 보냈고, 한 달에 한 번씩 쉼터 아이들과 함께 야외로 나가 즐거운 시간을 가지곤 했다.

우리는 매일같이 매스컴을 통해 세상에서 고통받고 살아가는 많은 사람들 - 죽음을 앞둔 중환자, 심신장애자, 가정으로부터 버림받은 노약자, 부모가 없는 소년 소녀 가장 등 - 의 이야기들을 접한다.

정말 우리 주변에는 정신적·육체적으로, 또는 물질적으로 어려운 환경에서 살아가고 있는 사람들이 너무나도 많다. 그들은 항상 누군가가 자신들의 어려운 처지를 알아주고, 도와주기를 간절히 바라며 하루하루를 어렵게 살아가고 있다.

그러나 세상에는 우리가 생각하는 것처럼, 남을 위해 돕는 사람들이 그다지 많지 않다. 우리는 어려운 처지에 있는 사람들을 위해 봉사하겠다고 마음속으로 몇 번이나 다짐해 보지만, 실제 그들의 어려운 삶의 현장으로 뛰어 들어가 본 적은 과연 몇 번이나 있었던가?

현대의 바쁜 생활 속에서 봉사할 수 있는 시간을 내기 란, 그다지 쉽지가 않다. 너무나 바쁜 나머지 생각할 여유조차 없을 것이다. 우리는 보통 세상살이가 각박하다는 생각이 들 때가 있다.

물론 일부 사람들은 물질적으로 도움을 주는 이들도 있다. 또한, 직접 이들의 어려운 사정 이야기를 듣자마자, 바로 달려가서 마치 나의 일처럼 돌보아 주는 사람들도 있다.

나부터라도 선한 마음의 자세를 가지고 있다면, 그것이 바로 하나님께서 주신 소명의 길을 걷는 것이 아닐까?

어려운 이들을 위해 진정 희생을 아끼지 않는다면, 이는 곧 의로운 일이요, 숭고한 정신이라고 할 수 있을 것이다. 어려운 이들의 마음을 헤아릴 수 있는 지혜를 가지고 있을 때, 하나님은 우리에게 은총과 축복을 주시리라 믿어 의심치 않는다.

예수 통장과 이웃 사랑

"셋째 해 곧 십일조를 드리는 해에 네 모든 소산의 십일조 내기를 마친 후에 그것을 레위인과 객과 고아와 과부에게 주어 네 성읍 안에서 먹고 배부르게 하라."(신 26:12)

나는 교회 십일조 헌금 이외에, 어려운 이웃들을 위해 사회 구제 십일조 헌금을 하기로 했다. 먼저 예수 통장을 만들어서 월급의 십일조와 외부 강사 수입 전액을 예수 통장에 적립했다. 날마다 예수께 **"어려운 이웃을 도울 수 있도록 통장에 현금을 가득 채워주세요."**라며 기도했다.

그런데 어느 날, 정동젊은이교회 담당 목사가 영성수련회에서 청년들의 직장생활에 도움이 되는 강의를 내게 부탁했다. 그래서 평소 외부기관에서 자주 했던 강의 내용들을 정리해서 '마음경영'이라는 주제로 강의를 했다.

강의를 마친 후, 청년들의 좋은 반응을 보고, '마음경영'을 주제로 믿음이 없는 청년들에게 복음을 전하기 위한 책을 쓰기로 했다. 그래서 삼성경제연구소 재직 시, **'마음경영의 5가지 성공법칙'**이라는 책을 쓰기 시작했다.

책을 출판하기 위해 출판사와 계약까지 마쳤고, 하나님께 청년들이 이 책을 통해 복음을 받아들이도록 해달라는 기도를 하고 있었다. 그러나 출판사 편집자가 책 내용 중에 성경 말씀을 모두 삭제하자는 것이었다. 종교적 색채가 너무나 짙어서 도서가 잘 팔리지 않을 거라는 이유에서였다. 할 수 없이 출판사와의 계약을 파기하고 말았다.

그러나 연구소를 퇴직하고, 숭실대 교수로 재직하게 되면서, 대학 출판국을 통해 책을 출판하게 되었다. 마침 숭실대는 기독교 대학이었기에 복음을 전하는 도서를 출간해도 문제가 되지 않았다. 그래서 바로 숭실대 출판부에서 책을 출판하게 되었다. 더욱이 그 책의 내용을 주제로 안양 소재, 어느 공기업 간부 500명을 대상으로 10회 차 강의를 했다. 큰 금액의 강사료와 도서판매 수익금 전액을 어려운 이웃들에게 전달할 수가 있었다.

결국, 하나님의 도우심으로 어려운 이웃을 돕겠다는 나의 결심이 그 결실을 맺게 된 것이었다. 탄자니아 선교사로 파송 받기 전까지, 어려운 이웃들을 위해 예수 통장을 아주 유익하게 사용했다.

놀라운 사실은 우리가 본격적인 선교사역을 시작하면서, 그 당시 어려운 이웃들에게 후원했던 후원금의 30배, 60배, 100배의 선교 후원금을 받을 수 있었기에 탄자니아 선교의 열매를 맺을 수가 있었다.

우리 가족의 소명

2004년 새해, 나는 "우리 가족의 소명은 무엇으로 정할까?"라고 가족들과 함께 생각해 보았다.

'복음을 전하는 사역자', '어려운 이웃을 위한 봉사자', '젊은이들을 위한 교사', '상처받은 아이들을 위한 상담자' 등, 사회 다양한 분야에서 실천 가능한 소명들을 생각할 수 있었다. 나는 '가족의 소명'을 현판으로 제작해서 가족들의 눈에 쉽게 띄도록 거실 벽에 걸어 두었다.

매일 실천하는 모습을 이미지로 떠올려 보기도 하고, 마음 속에 소명을 새기면서 함께 공감하기도 했다. 한마디로, 우리 가족의 인생 목표를 시각화한 것이었다. 처음에는 생각했던 모습대로 실천한다는 것이 그리 쉽지만은 않았지만, 점차 익숙해지기 시작했다.

4개월 후, 주일예배 중에 "아프리카로 가라!"라는 하나님의 음성을 듣게 됨으로써 첫 번째 소명을 실현할 수가 있었다.

【 우리 가족의 소명 】

우리는 항상 주님께 기도하고, 기뻐하며 범사에 감사하는 그리스도인으로서 성경 말씀에 따라 성령 충만한 삶을 살아가며, 주님께서 주신 우리의 소명을 다하도록 한다.

첫째, 우리는 이웃에게 복음을 전하고, 이들이 기독교 신앙을 가지고 살아갈 수 있도록 **보살피는 사역자로서 책무**를 다하다.

둘째, 우리는 사회에서 소외된 어려운 이웃을 사랑하고, 이들이 꿈과 소망을 갖도록 도와주는 **사회 봉사자로서 역할**을 다한다.

셋째, 우리는 젊은이들이 올바른 가치관을 가지고 성
     장할 수 있도록 이들에게 지혜와 지식을 가르
     치는 **교사로서 역할**을 다한다.

넷째, 우리는 가정과 직장에서 상처받고 살아가는 사
     람들의 이야기에 귀를 기울이고 삶의 희망을
     주는 **상담자로서 역할**을 다한다.

                              2004년 새해를 맞아

Chapter 2 아프리카로 가라!

- 아프리카 선교사 소명을 받다
- 성령께서 도우셨던 컨설팅
- 믿음의 스승들을 만나다
- 내가 너를 지켜 주리라

"구하라 그리하면 너희에게 주실 것이요 찾으라 그리하면 찾아낼 것이요 문을 두드리라 그리하면 너희에게 열릴 것이니 구하는 이마다 받을 것이요 찾는 이는 찾아낼 것이요 두드리는 이에게는 열릴 것이니라."(마 7:7~8)

1. 아프리카 선교사 소명을 받다

"내가 불을 땅에 던지러 왔노니 이 불이 이미 붙었으면 내가 무엇을 원하리요."(눅 12:49)

2004년 5월 19일, 정동교회는 온누리교회 고 하용조 목사님을 초빙해서 3일간의 부흥 성회를 가졌었다.

부흥 성회 마지막 날!

고 하용조 목사님의 설교가 끝나고, 모든 교인들이 합심하여 기도하던 중, 나는 머리부터 발끝까지 온몸이 뜨거워지는 경험을 했다. 물론 전에도 기도할 때마다, 한두 번 몸이 뜨거워진 적은 있었지만, 온몸이 뜨거웠던 적은 없었다.

부흥 성회가 끝난 토요일 오후, 정동교회 앞마당에서 청년들과 함께 토요 성령집회를 가졌다.

그런데 눈을 감을 때마다 성령의 불빛이 눈앞에 아른거리는 것을 느꼈다. 몇 번이나 눈을 떴다 감았지만, 계속 성령의 빛이 눈앞을 아른거리는 것이 아닌가?

혹시나 강렬한 낮의 햇빛 때문이 아닐까 하고 어두운 그늘 밑에서 눈을 감아도 여전히 불빛이 눈앞을 아른거렸다. 정말로 기이한 경험을 한 것이었다. 혹시나 성령의 불이 임한 것이 아닌가 하는 생각이 들기도 했다.

바로 다음날, 주일예배 중에 나는 '**아프리카로 가라!**'라는 하나님의 음성을 들었다. 하나님의 음성을 듣기 얼마 전부터, 나는 아프리카에 헐벗고 메마른 아이들의 모습을 떠올리며, 매일 눈물로 중보기도를 하고 있었다.

하나님의 음성을 듣고 나서부터, 나는 성령께서 함께 하신다는 것을 느낄 수가 있었다. 더구나 직장생활 가운데 성령께서 내가 하는 모든 일들을 올바른 길로 인도해 주셨다.

하나님의 음성, '아프리카로 가라!'

2004년 5월 23일, 부흥 성회와 성령집회가 끝나고, 주일예배에 참석했다.

주일예배 3부가 끝나갈 무렵, 약 1천 2백명의 교인들과 함께 '결단의 찬송'을 부르고 있을 때, 갑자기 예배당 천장에서 하나님의 우레와 같은 음성이 들려왔다.

"아프리카로 가라!"

너무나 놀란 나머지 그만 자리에 주저앉고, 계속 눈물만 흘리고 있었다. 상상조차 할 수 없었던 하나님의 음성을 듣자마자, 나는 "하나님! 저는 지금 나이가 많아서 그 험한 아프리카에 갈 수가 없습니다. 제가 젊은 청년이라면 몰라도…그리고 돌보아야 할 가족이 있습니다."라고 하나님께 반문하고 말았다.

"너는 너의 본토 친척 아비 집을 떠나 내가 네게 지시할 땅으로 가라."(창 12:1)

하나님은 아브람에게 고향을 떠나 지시한 땅으로 가라고 말씀하셨다. 아브람은 하나님께서 지시한 땅으로 가야만, 비로소 하나님의 뜻을 이룰 수가 있었기 때문이었다.

나는 일주일 내내, 하나님의 부르심에 어떻게 응답을 해야 할지를 놓고, 눈물로 기도했다. 기도하면 할수록, 하나님의 명령에 순종할 수밖에 없다는 생각이 들었다. 만약 하나님의 명령을 거부한다면, 내 인생이 행복할 수 없을 것만 같았다.

결국 하나님의 명령에 순종하기로 결심했고, 하나님께 기도했다.

"하나님, 제가 아프리카로 떠날지라도 제 자녀들을 지켜주세요!"

이렇게 해서 평소에 한 번도 생각해 본 적이 없었던 아프리카 선교사로 부름을 받았다. 하나님의 부르심을 받은 이후,

하나님은 내게 큰 믿음을 주셨다. 이 믿음을 어떻게 지켜 나갈 것인지, 내게는 커다란 시험이었다.

하나님의 부르심을 받은 이후, 내 인생의 방향이 180도 바뀌었다. 일상생활 가운데 많은 신앙적 체험을 하게 되었고, 내 인생 목표가 무엇인지를 분명히 깨닫게 되었다.

하나님의 뜻은 바로 내가 고향을 떠나 아프리카로 가야만 한다는 사실이었다. 만약 내가 한국에서 가족과 함께 살면서, 하나님의 뜻을 이룬다는 것은 정말 어려운 일이었을 것이다.

내게 부르짖으라

VIP클럽 강남모임이 있는 날, 수단에서 봉사활동을 했던 중학교 체육 선생님을 초빙해서 신앙 간증을 들었다.

그 선생님은 선배가 아프리카 수단에 봉사 활동하러 간다는 말을 듣고, 여행 삼아 따라 나섰다고 한다. 수단의 한 사막에 가서, 원주민들에게 밀가루를 나눠주려고, 모두 자리에 앉힌 다음, 밀가루 자루를 가지러 운송차에 갔다가 다시 돌아와 보니 몇 사람이 누워 있었단다.

잠자는 줄로만 알고 깨웠는데, 움직이지 않더라는 것이었다. 너무나 몸이 쇠약해진 나머지, 그 자리에서 숨을 거두었단다. 놀라운 경험을 하고 나서, 그 뒤로 어느 NGO단체에 들어가 북한과 아프리카 등지에 다니며, 식량을 나누어 주고, 우물도

파주는 봉사자의 길을 걷기 시작했단다.

그 선생님은 간증 도중, 쓰레기더미 앞에서 뼈가 앙상한 몸을 지닌 아프리카 아이가 웅크리고 앉아있는 모습을 담은 사진을 우리에게 보여 주었다.

그 사진 속에는 아주 큰 독수리가 바로 그 아이 뒤에서 금방이라도 채 갈 듯이 응시하고 있었다. 그 선생님은 우리에게 아프리카 아이들에 대한 중보기도를 부탁했다.

새벽마다 오랜 시간 동안, 사진 속에서 보았던 아프리카 아이의 굶주림에 지친 모습을 생각하며, 눈물로 기도하기 시작했다. 기도하면 할수록 아프리카 아이들을 동정하는 마음과 연민의 정이 싹트기 시작했다.

"하물며 하나님께서 그 밤낮 부르짖는 택하신 자들의 원한을 풀어주지 아니하시겠느냐 그들에게 오래 참으시겠느냐 내가 너희에게 이르노니 속히 그 원한을 풀어주시리라 그러나 인자가 올 때에 세상에서 믿음을 보겠느냐 하시니라."(눅 18:7-8)

예수님은 하나님께서 언제나 구하는 자들에게 그 원한을 풀어주시고, 사명을 더하여 주셔서, 그 뜻을 이루어 나가신다고 말씀하신다.

구약에서 심한 갈증 속에서, 물을 달라고 하나님께 부르짖었던 나실인 삼손의 모습이나, 자식의 잉태를 위해 열심히 간구하던 한나의 모습을 떠오르게 한다.

나 역시, 하나님께서 아프리카 아이들을 도와달라고 간곡히 기도했던 내 모습을 보시고, 아프리카 선교사 소명을 주셨다고 믿고 있다. 우리가 하나님으로부터 사명을 받기 위해, 또는 약속한 선물을 받기 위해서는 먼저 구하라고 말씀하신다. 결국 기도하라는 말씀이다.

물론 기도하는 방법에는 묵상기도나 방언기도, 통성기도, 중보기도 등의 다양한 기도가 있다. 중요한 것은 어떤 기도가 좋은 것인지가 아니라, 기도하는 우리의 마음이 중요하다. 만약 이기적인 욕심을 가지고 기도하거나 중언부언하는 기도는 하나님이 들어주실는지 잘 모르겠다.

한 가지 분명한 사실은, 우리 마음속에 가지고 있는 모든 욕심을 내려놓고, 진실된 마음을 가지고 기도한다면, 하나님께서는 우리의 기도를 들어주시리라 믿는다.

말씀의 능력을 깨닫다

하나님의 음성을 듣고 나서 일주일 후, 미국 시애틀에 계시던 장인어른의 갑작스러운 소천 소식을 받았다.

부랴부랴 미국 시애틀행 항공권을 구입하려 했으나, 좌석이 없어 캐나다 밴쿠버행 항공권을 구입했다. 캐나다 밴쿠버에 도착해서 시애틀행 그레이하운드 고속버스를 타고, 시애틀 고속버스 터미널에 도착했다.

버스터미널에 처남과 처제가 마중 나와 있었다. 장인어른의 장례식에 처남 소속 교회의 담임 목사와 많은 교인들, 그리고 지인들이 참석했다.

장례식에서 나는 맏사위로서 장인어른을 떠나보내는 마지막 이별의 순간, 장례식에 참석하신 분들에게 바로 요한복음의 말씀을 전했다.

"너희는 마음에 근심하지 말라 하나님을 믿으니 또 나를 믿으라 내 아버지 집에 거할 것이 많도다 그렇지 않으면 너희에게 일렀으리라 내가 너희를 위하여 거처를 예비하러 가노니 가서 너희를 위하여 거처를 예비하면 내가 다시 와서 너희를 내게로 영접하여 나 있는 곳에 너희도 있게 하리라 내가 어디로 가는지 그 길을 너희가 아느니라."(요 14:1-4)

장례식에 참석했던 모든 분들이 함께 슬퍼해 주셨다. 성령께서 함께 하시는 은혜로운 장례식이었다.

나는 처남댁에 위로 차 방문한 처남 친구 가족과 신앙에 관한 많은 이야기를 나누었다. 나의 신앙 간증을 듣던 처남 친구의 가족들이 갑자기 교회에 나가겠다고 결심하는 것이었다. 우리 가운데 성령께서 함께 하셔서 교회에 다니지 않던 처남 친구 가족들의 마음에 믿음을 주신 것이었다.

나는 하나님의 말씀을 전하면서, 한 번도 경험해보지 못했던 말씀의 생명력이 있음을 깨닫게 되었다. 바로 예수님은 내게 말씀의 은사를 주신 것이었다.

그 후, 나는 많은 사람들을 만날 때마다, 내가 예수님을 만났던 신앙 간증을 통해 복음을 전하기도 했다. 물론 나의 간증을 듣고 믿음을 갖게 된 사람들도 많았다.

뜨거운 성령 체험을 하다

미국에 다녀온 후 어느 날, 교육인적자원부 여직원 80여 명을 대상으로 '우리도 변해야 산다'라는 주제로 강의했다.

1시간 강의를 마치고 나서 쉬는 시간에 몇 명의 여직원들이 나에게 뛰어왔다. **"박사님, 강의를 듣는 중에 제 가슴이 뜨거워지는 놀라운 경험을 했어요!"**라며, 상기된 얼굴로 말하는 것이었다. 한두 명의 직원도 아니고 여러 명의 직원들이 같은 이야기를 하는 것이 아닌가? 나 역시 깜짝 놀랐다.

왜냐하면 성경 말씀에 대한 강의가 아니라, 직원들이 시대적 환경 변화에 적응할 수 있는 마음가짐과 근무자세에 대한 강의였기 때문이었다.

직원들의 이야기를 듣는 순간, 나는 **"아! 성령께서 우리와 함께 하시는구나!"** 라는 생각이 들었다. 난생처음, 강의 중에 놀라운 경험을 했던 것이었다. 연말에 교육인적자원부 신우회에서 직원들을 대상으로 신앙 간증을 했다.

간증 모임이 끝나고 나서, 직원 한 사람 한 사람의 손을 잡고, 기도하며 포옹도 했다. 정말 모두에게 은혜로운 시간이었다.

"내가 아버지께 구하겠으니 그가 또 다른 보혜사를 너희에게 주사 영원토록 너희와 함께 있게 하리니 그는 진리의 영이라 세상은 능히 그를 받지 못하나니 이는 그를 보지도 못하고 알지도 못함이라 그러나 너희는 그를 아나니 그는 너희와 함께 거하심이요 또 너희 속에 계시겠음이라." (요 14:16~17)

예수께서 다른 보혜사를 하나님께 구하겠다고 말씀하신다. 하나님은 보혜사 성령님을 우리에게 보내주셔서, 우리와 함께 거하시겠다고 약속하신 것이다. 보혜사 성령님은 우리가 어느 곳에 있든지 늘 함께 하신다.

나는 여러 기관의 직원들을 대상으로 강의할 때마다, 성령께서 함께 하신다는 것을 느꼈다. 예전엔 강의 시작 전, 설레는 마음에 심장 뛰는 소리가 내 귀에 들릴 정도로 긴장하곤 했었다.

그러나 성령 체험 이후, 전혀 긴장하지 않고, 자신감 넘치는 강의를 할 수가 있었다. 뿐만 아니라, 성령께서 내게 지혜를 주셔서 강의 중에 의도하지 않았던 내용들을 강의하는 경우도 많았다.

2. 성령께서 도우셨던 컨설팅

하나님의 부름심을 받은 이후, 자의든 타의든 간에 나의 생각과 행동, 그리고 인생의 꿈과 소망마저 바뀌었다.

첫 변화로 살아있는 성경 말씀에 깊이 빠져들었다. 처음 성경을 읽기 시작해서 1년 동안은, 마치 흥미진진한 소설을 읽는 것처럼 네 번이나 탐독했다.

그리고 새벽 기도에 집중하기 시작했고, 유명 목사님들의 설교 테이프를 매일 듣기 시작했다.

예전엔 한 번도 생각해보거나 행동하지 않았던 신앙생활이 나의 일상생활이 되어 버린 것이었다. 내게는 참으로 놀라운 변신이었다. 더욱 중요한 것은 하루하루의 일상들이 내게는 더 없는 행복한 날들이었다는 사실이다.

점차 믿음이 강건해지는 중에 연세대의 경영컨설팅을 시작했고, 그곳에서 언더우드 선교사의 삶의 발자취를 직접 경험할 수가 있었다. 내가 선교사의 길을 걷는데 커다란 힘이 되었다. 더구나 성령께서 연세대 컨설팅을 이끌어 주셔서 성공적으로 마무리할 수가 있었다.

믿음은 들음에서 난다

"그러므로 믿음은 들음에서 나며 들음은 그리스도의 말씀으로 말미암았느니라."(롬 10:17)

직장을 오갈 때, 자동차를 운전하면서 유명 목사님들의 설교 테이프를 틀어 놓고, 듣곤 했다.

심지어 1개의 설교 테이프를 가지고 다섯 번 내지 열 번씩, 반복해서 약 200개의 설교 테이프를 들었다. 나중에는 설교 내용을 거의 외울 정도가 되었다.

이렇게 설교를 반복적으로 들음으로써 내 믿음이 단단해지기 시작했다. 물론 성경 말씀에 대한 깨달음도 더해 갔다.

그동안 즐겨했던 술과 담배도 모두 끊었고, 취미 활동마저 내려놓았다. 영적으로나 육적으로 경건하고 강건한 신앙생활을 하고자 노력했다.

그리고 나는 만나는 사람들에게 복음을 전하기 위해 오직 성경 말씀을 주제로 대화를 나누었고, 나의 신앙간증을 하곤 했다.

"그러므로 형제들아 더욱 힘써 너희 부르심과 택하심을 굳게 하라 너희가 이것을 행한 즉 언제든지 실족하지 아니하리라."(벧후 1:10)

사도 베드로는 부르심과 택함을 받은 사람들은 신앙생활을 굳건하게 해야만 실족하지 않는다고 말씀하고 있다.

우리 그리스도인들은 세상적인 삶 가운데 고난을 당하면, 하나님을 원망할 때도 있다. 그러나 진정 하나님의 부르심과 택함을 받은 사람들은 결코 불평이나 원망을 하지 않는다.

왜냐하면 예수님의 진정한 십자가의 사랑을 잘 알고 있기 때문이다.

나 역시 세상적인 삶 가운데 믿음 생활에서 실족하지 않으려고, 오직 예수님만 바라보며 내게 주어진 소명을 이루기 위해 머나먼 탄자니아 땅에서 복음을 전하고 있는 것이다.

천직으로만 여겼던 경영컨설턴트

1993년 1월, 10년 넘게 근무했던 제일모직 경영혁신팀장을 끝으로 삼성경제연구소로 자리를 옮기게 되었다.

먼저 나는 수원 신갈에 위치한 외환은행 연수원에서 외환은행 부장과 지점장들을 대상으로 경영혁신 추진 사례와 방법론을 강의하였다. 뿐만 아니라 삼성 용인연수원에서 그룹 관계사들의 간부들을 대상으로 경영혁신과 고객만족경영에 관한 강의를 자주 하곤 했다.

세계 초일류기업들의 경영혁신과 고객만족경영, 그리고 기업문화를 배우기 위해 일본과 미국 등지를 다니며 벤치마킹을 하기도 했다. 특히, 미국 휴스턴에 위치한 미국생산성본부에서 벤치마킹에 관한 교육을 받은 후, 교재를 번역해서 삼성그룹 간부들을 대상으로 교육을 하기도 했다.

그리고 본격적으로 정부와 공공기관을 대상으로 행정개혁 컨설팅을, 금융기관들을 대상으로 경영혁신 컨설팅을, 그리고 대학 컨설팅을 하기 시작했다.

1993년 1월, 처음으로 외부기관인 대구은행을 대상으로 경영혁신 컨설팅을 시작했다. 그 당시 급격한 금융환경 변화로 인해 많은 국내 금융기관들이 경영혁신을 추진하기 시작했다.

경영혁신 컨설팅이 시작되면, 첫 해에는 조직구성원들의 의식과 행동 변화를 위한 의식개혁 교육과 사무간소화를 추진했다. 그리고 각 부서별로 혁신을 이끌어갈 리더들을 양성하였다. 조직구성원들의 의식이 변화되고, 사무간소화가 정착되면, 다음 해에 조직의 업무시스템을 분석하고, 개선하였다.

마지막 해에는 은행의 중장기 비전과 전략을 수립해서 조직구성원 모두가 함께 공유하였다.

그 당시, 무주 구천동 덕유산 리조트에서 대구은행 전 직원 약 1천 8백명이 한자리에 모여 1박 2일간 경영혁신 전진대회를 개최하기도 했다. 대구은행 창립 이래, 전 직원들이 한자리에 모인 것은 이 대회가 처음이었다.

대구은행 컨설팅을 시작으로 한미은행, 동남은행, 경기은행,

한국은행, 한일·상업은행, 외환은행, 국민·주택은행 등, 12년에 걸쳐 금융기관 컨설팅을 해왔다. 동시에 행정쇄신위원회, 총무처, 기획예산처, 교육인적자원부 등에 자문·실무위원으로도 각각 활동했었다. 또한, 삼성중공업, 삼성화재, ㈜파라다이스, 한국마사회, 광주광역시, 교육인적자원부, 연세대학, 국립대학 구조개혁평가 등을 대상으로 컨설팅을 추진하였다.

언더우드 선교사를 만나다

2004년 9월, 삼성경제연구소 연구원들과 함께 연세대 2020 비전과 전략을 수립하는 컨설팅을 시작하였다.

연세대 전신인 연희전문학교 설립자인 그랜트 언더우드 선교사가 처음 숙소로 사용했던 10평 정도 크기의 돌담집을 사무실로 사용했다. 물론 돌담집 맞은편에는 언더우드 선교사가 새로 건축해서 거주했던 사택이 있다.

지금은 언더우드 선교사 기념관으로 운영되고 있는데, 기념관 내부에는 선교사의 과거 삶의 발자취를 돌아볼 수 있도록 꾸며졌다. 특히, 많은 눈이 내리는 겨울, 선교사 기념관 주위는 마치 한 폭의 동양화처럼 매우 아름다웠다.

매일 새벽 6시에 출근해서 사무실에 난로를 피우고, 1시간씩 기도를 하곤 했다. 점심 식사 후에는 언더우드 선교사 기념관에 가서, 선교사가 사용했던 책상 위에 놓여있는 그의 일기장과 여러 가지 유품들을 살펴보았다.

언더우드 선교사의 독실한 신앙생활을 한눈에 알아볼 수가 있었다. 나도 언더우드 선교사와 같은 진실된 삶을 살아야만 한다는 마음 다짐을 하기도 했다.

비록 4개월간의 짧은 기간이었지만, 언더우드 선교사가 기거했던 돌담집에서의 생활과 기념관 방문 등은 나의 선교사의 길을 준비하는데 많은 영향을 주었다.

하나님은 왜 나를 굳이, 교육인적자원부와 더불어 연세대 컨설팅을 하게 하셨는지, 그 이유를 알게 되었다. 하나님은 나로 하여금 이 두 기관의 컨설팅을 통해 많은 경험을 쌓게 함으로써, 훗날 탄자니아에서도 대학을 세울 수 있도록 지혜와 능력을 주신 것이었다.

성령께서 함께 하시다

우리는 연세대 2020 비전과 전략 수립을 위한 컨설팅을 추진하기 위해 비전전략 추진위원회를 구성했다.

연세대 2020비전전략추진위원회는 대학 부총장을 위원장으로 하고, 각 단과대학과 대학원을 대표하는 약 20명의 교수들로 구성되었다. 가장 먼저, 연세대 교수들과 교직원들을 대상으로 면담을 시작했고, 재학생과 동문까지 포함해서 약 2만명을 대상으로 대학 비전과 중장기 전략에 대한 설문조사를 실시했다. 설문조사 결과는 대학에서 매년 실시해 왔던 수양회에서 발표하기로 하였다. 제주도 신라호텔에서 교수와 교직원 약 1천명이 참석한 가운데 설문조사결과를 발표할 준비를 하고 있었다. 발표 하루 전날, 소회의실에서 기다리고 있던 총장, 단과대학 학장들과 대학원장들, 그리고 주요 교직원들 앞에서 설문조사 결과를 발표했다.

발표가 끝나자, 총장은 설문조사 결과에 대해 노골적으로 불만을 토로했다. 총장의 리더십에 대한 타 대학과의 벤치마킹 결과가 좋지 않았던 탓이었다. 그리곤 회의장을 훌쩍 떠났다. 그러자 회의장 안에서는 발표 내용을 가지고 교수와 교직원들 간의 찬반 격론으로 소란스러워졌다.

나는 비전전략추진위원회 교수들과 새벽 2시까지 격론을 벌였지만, 쉽사리 결론이 나질 않았다. 결국 내가 모든 책임을 지기로 하고, 다음날 새벽까지 발표 안을 정리한 후, 하나님께 기도했다.

"하나님, 오늘 제가 모든 교수들과 교직원들 앞에서 발표할 때에 이들의 눈과 귀를 열어 주셔서 대학을 변화시키는데 모두가 한 마음 한 뜻이 되게 해 주세요!"

오후에 발표를 시작하자마자, 나는 "언더우드 선교사가 처음 연희전문학교 설립 당시, 과연 어떤 사명을 가지고 시작하셨을까?"라는 주제로 나의 생각을 발표했다.

순간, 약 1천 명의 교수와 교직원들의 강렬한 눈빛이 동시에 내 눈으로 빨려 들어오는 것처럼 느껴졌다.

"아! 성령께서 함께 하시는구나."

내 마음이 설레기 시작했다. 모든 발표가 끝나자 총장 이하 모든 교수들과 교직원들이 자리에서 일어나, 내게 기립 박수를 보내는 것이 아닌가?

정말 놀라운 일이었다. 그리고 나서 교수와 교직원들을 대상으로 20개 분임조를 편성, 각 분임조별로 모든 교직원들이 참석하여 대학의 비전과 전략에 대해 열띤 토론을 가졌었다.

이러한 과정을 거친 후, 2020비전전략보고서를 제출하고, 최종 보고회를 개최함으로써 모든 컨설팅은 끝이 났다.

3. 믿음의 스승들을 만나다

나는 젊은 시절부터 선교사로서 꿈을 가지고 있었던 것은 아니었다.

단지 신실한 그리스도인으로서 신앙생활을 열심히 하고, 세상에 어려운 사람들을 위해 봉사활동을 하고자 했다. 물론 예수님의 은혜를 받은 그리스도인이라고 한다면, 복음을 전해야만 하는 선교적 사명은 가지고 있다.

그래서 그리스도인들은 선교지로 떠나는 선교사로서, 아니면 보내는 선교사로서 그 맡은 바 사명을 다 해야만 한다.

처음 선교사 파송을 받고, 탄자니아로 떠날 당시만 해도 친척들이나 친구들은 나의 선교사의 길을 적극 만류했었다.

한국에서 편히 살면서 신앙생활만 열심히 하면 됐지, 왜 굳이 사서 고생하러 그 머나먼 아프리카까지 가느냐고 말이다.

그럴 때마다 나는 **"예수님으로부터 받은 사랑이 너무나 커서 예수님이 가라고 하신 곳으로 가지 않으면, 내 인생의 행복을 찾을 수가 없기 때문입니다."** 라며 대답하곤 했다.

만약 예수님의 부르심이 없었더라면, 나는 세상 사람들처럼 안락하고 평안한 삶을 추구했을 것이다. 그러나 예수님은 내게 선교사로서 인생 2막의 길을 걷도록 인도하셨다.

예수님을 만남으로써, 내 마음 깊숙한 무의식의 세계에 눈을 뜨기 시작했다. 지금 생각하면, 내가 선교사의 길을 걷게 된 것은, 모두가 하나님의 은혜요, 축복이었던 것이다.

감신대 목회신학대학원 입학

하나님이 내게 아프리카 선교사의 소명을 주셨을 때, 나는 하나님께 서원했다.

"하나님, 제가 아프리카 선교를 준비할 수 있도록 3년의 시간을 주세요!"

그 당시, 나는 선교사가 되기 위해서는, 당연히 목사 안수를 받아야만 하는 줄로 알고 있었다. 그래서 연세대에서 경영컨설팅을 하고 있으면서, 여러 신학대학원의 입학 전형에 대해 알아보았다.

마침 정동교회에서 아는 지인들로부터 감신대 목회신학대학원 입학을 추천받았다. 막상 목회신학대학원 입시요강을 살펴보니 신·구약 성경시험을 치러야만 했다.

그 당시, 나는 성경을 12회 정도 탐독했지만, 성경을 체계적으로 공부해 본 적이 없었다. 감신대 목회신학대학원 응시생들 대부분 교회 전도사들이었다.

전도사들은 목사 안수를 받기 위해서 석사 학위 취득이 필수 조건이었던 것이다. 직업이 전도사인 그들과 성경 시험을 함께 치른다는 것은 내게 불리한 상황이었다.

그런데 뜻밖에도, 2005년 입학 연도부터 입학 정원의 10%를 면접만으로 선발하는 특별 입학 전형제도가 신설된 것이었다. 너무나 반가운 소식이었다. 특별 입학전형제도 덕분에 2005년 3월부터 감신대 목회신학대학원에서 신학 공부를 시작하게 되었다.

3년 간의 신학 공부

나는 삼성경제연구소에 재직하면서 야간에 감신대 목회신학대학원에서 신학공부를 시작했다.

그동안 행정학이나 경영학 등의 사회과학분야에 관한 연구만을 하다가 신학을 하게 되니, 학문의 성격이 너무나 달랐다. 그러나 신학은 내게 더없이 매력적이었고, 아주 흥미로운 학문이었다. 진작부터 신학과 같은 참 진리의 학문에 관심을 가지지 않았던 것에 대한 아쉬움이 컸다.

목회신학대학원에서 3년 간의 신학공부 기간은 너무나 꿈만 같은 시간이었다. 야간에 목회신학대학원에서 신학공부를 더 열심히 하고자, 출퇴근 시간을 줄이기 위해 수원 영통지구에서 서대문구 홍은동으로 이사했다.

처음 대학원에 입학해서 만난 대학원생들 대부분은, 하나님의 소명을 받고 하나님의 종이 되고자, 이미 신학대학에서 학사 과정을 마친 전도사들이었다. 신학 공부를 하고 있는 전도사들은 하늘나라에 꿈과 소망을 두고 있었다.

그러나 나는 직장생활을 하면서 주로 기업인들이나 공무원들과 많은 인간관계를 맺어 왔었다. 그러다 보니 전도사들과 인간관계를 맺는다는 것은 꿈에도 생각해 본 적이 없었다.

처음으로 접하는 신학을 이해하는데 다소 어려움이 많았다. 다른 대학원생들은 이미 성경 말씀에 대한 이해도가 상당히 높은 수준이었다. 반면, 나는 이제부터 시작해야 하는 입장이었다. 그래도 신학 공부가 너무나 재미가 있어서 열심히 학업에 집중할 수가 있었다. 어떻게 3년이라는 시간이 흘러갔는지 그 모두가 찰나의 순간들이었다.

이렇게 해서 3년간의 신학공부와 병행해서 1년간의 선교사 훈련과정을 모두 마치고, 감신대 목회신학대학원을 졸업, 신학 석사 학위를 받았다.

깨달음을 주신 스승들

3년 간의 신학 공부를 하면서 많은 깨달음을 얻게 해 준 믿음의 스승들을 만났다.

바로 다석(多夕) 유영모 선생, 현재(鉉齋) 김흥호 선생, 시무언(是無言) 이용도 목사, 그리고 존 웨슬리(John Wesley) 목사였다.

다석 유영모[1] 선생은 1890년 서울 출생으로 기독교를 동양철학인 유교, 불교, 도교와 함께 해석하려고 노력하셨다.

1910년 평북 정주 오산학교 교사로 봉직하시면서, 기독교 신앙을 처음 전파하셨으며, 교장으로 재직하였다.

다석 선생은 '얼'이란 영적으로 깨달음을 얻은 "영적인 사람"의 뜻으로, "제나"로 육적인 사람, 즉 탐욕, 분노, 미움, 어리석음, 죄성 등을 극복하지 못한 사람과 대비하였다.

예수 정신을 신앙의 기조로 삼고, 일언(一言), 일식(一食), 일좌(一坐), 일인(一仁)의 경건한 삶을 몸소 실천하였다.

현재 김흥호[2] 선생은 1919년 출생으로 황해도 서흥 출신으로 다석 유영모 선생님의 제자다. 기독교를 동양 철학인 유, 불, 선과의 조화를 통해 성경을 해석하였다.

그는 12년의 기간을 정해 놓고, 일식(一食), 일좌(一坐), 일인(一仁), 일언(一言)의 세계로 들어가기도 하셨다. 이화여대에서 기독교, 불교, 유교, 서양철학까지 다양한 경전과 고전에 대해 '연경반'을 시작하였다.

시무언(是無言) 이용도[3] 목사는 1901년 황해도 금천에서 태어나서, 3·1운동을 시작으로 독립운동에 가담하여 4차례나 옥고를 치렀다. 1928년에 협성신학교 졸업 후, 강원도 통천에서 목회생활을 시작하였다. 평양의 부흥회를 시작으로 전국 각지를 순회하며 부흥회를 인도하였다. 그 당시, 그는 한국의 암울했던 일제치하의 민족 구원의 길은 교회 갱신과 영적 각성에 있다고 믿고, 회개와 성령운동의 바람을 불러일으켰다. 이로써 침체된 한국 교회에 큰 부흥을 가져오는데 큰 기여를 하였다.

존 웨슬리(John Wesley)[4]목사는 1703년 영국 엡워스라는 작은 시골마을에서 출생했으며, 새뮤얼 웨슬리와 수산나 웨슬리의 열아홉 자녀 중 15번째였다. 처음 감리교 운동을 시작한 영국과 미국의 감리교 창시자다.

영국 국교회에서 안수를 받았으며, 동생 찰스 웨슬리와 함께 아메리카 식민지 조지아로 건너가 2년 동안 선교를 했지만 실패했고, 다시 영국으로 돌아왔다. 그는 가는 곳마다 소모임인 속회를 조직하여 소모임 안에서 신자들이 훈련받을 수 있게 했다.

또한, 평신도 설교자들을 내세워 영국 곳곳을 다니며, 설교하게 했다. 그는 은총의 수단을 통해 교인들이 변화할 수 있고, 예수 그리스도를 인격적으로 경험할 수 있음을 주장하기도 했다.

이처럼 나는 믿음의 스승들의 다양한 저서들을 탐독하다 보니, 나의 믿음과 영성은 점차 깊어 가기 시작했다. 또한 믿음의 스승들로부터 성경에 대한 깊은 깨달음을 얻게 되었다. 뿐만 아니라, 경건한 믿음생활을 하는데 올바른 길잡이가 되어 주었다.

'공(空)'과 '무욕(無慾)'의 깨달음

나는 기독교인으로서 신앙생활 가운데 깨침과 깨달음이란 화두를 가지고 수없이 번민해 왔다.

지금도 계속 깨침의 과정에 있다.

아직도 명확하게 답을 내릴 수 있는 단계에 미치지 못하고 있다. 나는 분별이 없는 무념(無念)의 마음을 가지는 자력의 믿음이 중요하다고 생각했다.

매일 새벽, 묵상기도를 통해 성경 말씀의 진리를 깨닫기 위해 노력해 왔다. 나는 모든 죄 사함을 받았다고 느낀 순간부터 '마음을 완전히 비운다'라는 '공(空)'의 개념을 가지고 씨름했다.

점차 마음이 비워지기 시작했다. 동시에 이 세상에는 "내 것이 하나도 없다."라는 '무욕(無慾)'의 의미를 깨닫기 시작했다. 깨침을 얻자 내 마음속에서 불현듯 "내가 내가 아니요, 내 것이 내 것이 아니다!"라는 깨달음을 얻기 시작했다.

나의 빈 마음속에는 사랑이 흘러넘치기 시작했고, 누군가를 위해 자비를 베풀 수밖에 없었다.

신앙생활에 있어서 '공(空)'이라는 깨침을 얻지 못하면, 자아중심적 믿음밖에 가질 수 없다는 것을 깨달았다.

우리 자신의 마음을 비울 줄 알고, '무욕(無慾)'을 깨달아야 올바른 믿음생활이 가능하다고 생각한다. 믿음이란 오직 체험에 의해 자아의식의 과정을 통해서 깨침과 깨달음을 얻느냐 하는 인간 자아의식의 문제라고 생각한다.

기독교의 믿음이라고 하는 것은, 하나님의 은총이 내리는 선물을 받을 수 있는 개인의 자유의지가 선행되어야 한다. 따라서 믿음이란, 자신의 마음속에서 일어나야만 한다. 그것은 이성과 의지로써 결코 일어날 수가 없는 것이다.

진정한 믿음을 갖기 위해서는 '공(空)'과 '무욕(無慾)'이라는 믿음과 닦음, 그리고 깨침이 있어야만 한다. 이러한 과정 없이는 자기중심적 신앙생활을 할 수밖에 없다고 생각한다.

"돈을 사랑함이 일만 악의 뿌리가 되나니 이것을 탐내는 자들은 미혹을 받아 믿음에서 떠나 많은 근심으로써 자기를 찔렀도다."(딤전 6:10)

사도 바울은 돈을 사랑하는 탐욕스러운 마음은 하나님의 믿음에서 떠나게 된다고 말씀하고 있다.

그리고 돈을 사랑하는 마음은 악의 뿌리가 되고, 곧 우상을 섬기는 것과 같다고 말씀하고 있다.

탐욕스러운 마음을 비우지 못하면, 평생을 마음의 근심에서 벗어날 수가 없다. 우리는 마음을 비우는 법을 배워야만 한다. 그래야 진정한 하나님의 믿음이 우리 마음속에 거하게 된다.

캄보디아 선교체험 훈련

2007년 3월, 감신대에서 운영하는 1년 간의 선교사 훈련과정을 아내와 함께 시작했다.

감신대 선교사 훈련과정이 끝나고, 마지막으로 해외 선교체험훈련이 있었다. 우리는 아프리카 지역으로 선교체험 훈련을 가고자 했으나, 아프리카 지역의 선교체험훈련 프로그램이 없었다.

결국 우리는 캄보디아로 선교훈련을 가기로 결정한 인천 성서신학원 선교훈련과정에 합류하게 되었다. 왜냐하면 그 당시 정동교회 여선교회에서 캄보디아 선교를 준비하고 있었는데, 우리를 캄보디아 선교사로 파송하고 싶다는 권유가 있었기 때문이었다.

우리는 캄보디아 선교를 놓고 기도하기 시작했다. 어느 날, 정동교회 벧엘 예배당에서 새벽 기도 중에 성령께서 내게 캄보디아로 가라는 음성을 들려주셨다.

나는 깜짝 놀라며 어떻게 하나님의 뜻이 바뀔 수가 있는지 의아하게 생각했다.

2008년 1월 21부터 31일까지 10박 11일간의 일정으로 캄보디아의 선교훈련을 떠났다. 캄보디아 프놈펜 공항에 도착하자, 먼저 킬링 필드를 방문했다.

폴 포트의 크메르루주 정권이 자국민 2백만명을 학살해서 그들의 유골들을 한 곳에 모아둔 곳이었다. 그곳을 걷다가 살해된 시신들의 옷조각이나 뼛조각들을 볼 수가 있었다. 그곳에서 마치 피냄새가 진동하는 것처럼 느껴졌다.

우리는 보트를 타고 메콩강 강줄기를 따라 약 2시간 걸려, 현지인 여전도사가 섬기는 교회가 있는 어느 시골 마을에 도착했다.

강어귀에는 새까맣게 보이는 수백 명의 아이들이 우리를 기다리고 있었다. 웃통을 벗은 아이, 다 해진 옷을 입은 아이, 맨발인 아이 등, 모두가 온전한 옷과 신발을 갖춘 아이가 없었다. 단지 새까만 얼굴에 눈빛만 반짝반짝 빛나고 있었다.

나는 맑은 눈빛을 가진 그 아이들의 모습에서 캄보디아의 미래 희망을 보는 듯했다. 우리 모두 한자리에 모여 수백 명의 아이들과 함께 즐거운 시간을 보냈고, 아이들을 위해 기도해 주었다. 가져온 후원물품과 학용품들을 아이들에게 나누어 주니, 얼마나 기뻐했는지 모른다.

그런데 교회 교인들이 우리를 점심 식사에 초대했다. 강에서 잡은 생선을 손질도 하지 않고, 양념도 하지 않은 채, 생선 그대로 맹물에다 끓여서 가져왔다. 생선국에서 비린내가 진동했다. 그렇게 끓인 생선국이 그들에겐 진수성찬이란다.

그곳을 떠나 우리는 버스로 장시간 이동해서 아주 외진 시골 마을로 들어갔다. 한국의 따스한 봄날처럼 느껴졌다. 밭에서는 농부들이 씨앗을 뿌리고 있었다.

나는 "지금 내가 고향 금산에 내려가고 있는 것이 아닐까?"라는 생각이 들 정도였다.

우리는 동네마다 다니며 전도하기 시작했다. 나는 캄보디아 시골에 다닐 때마다, 마치 내 고향처럼 느껴졌다. 믿지 않는 가정들을 방문해서 안수기도를 해줄 때마다 성령께서 역사했다. 환자들에겐 치유의 영이 임했다. 비록 짧은 기간이었지만, 나에겐 성령 충만함을 느꼈던 시간이었다.

그리고 어느 교도소를 방문해서 살인 범죄를 저지른 죄수들과 함께 주일예배와 기도회를 가졌다. 그들과 함께 기도회를 하는 동안 눈물을 흘리는 죄수들도 많았다.

마지막으로 우리는 씨엠립 감리교 선교센터를 방문한 후, 잠시 앙코르와트 사원을 둘러보았다. 동행했던 선교사 훈련생들이 두통과 구토로 너무나 힘들어했다.

그곳의 악한 영들이 우리들을 괴롭혔다. 나는 킬링필드와

앙코르와트 사원을 방문하면서 힘들어했던 훈련생들을 위해 안수기도를 해주고, 한방 침을 놔주기도 했다. 왜 성령께서 굳이 캄보디아로 가라는 음성을 내게 들려주셨는지 비로소 알게 되었다.

4. 내가 너를 지켜 주리라

"두려워하지 말라 내가 너와 함께 함이라 놀라지 말라 나는 네 하나님이 됨이라 내가 너를 굳세게 하리라 참으로 너를 도와주리라 참으로 나의 의로운 오른손으로 너를 붙들리라."(사 41:10)

하나님은 우리의 삶 가운데, 어떠한 고난을 당하더라도, 우리와 함께 하시고, 도와주신다고 말씀하신다.

감신대 목회신학대학원 1학기가 끝나갈 즈음, 연세대 컨설팅에 이어서 서울대와 컨설팅 협의 중에 있었다. 그런데 만약 서울대 컨설팅을 시작한다면, 야간 대학원의 신학 공부와 교회의 성경 교사, 그리고 야간 대학원 강의 등을 지속할 수 없을 것만 같았다.

그래서 언젠가 삼성경제연구소에 사표를 내고, 신학 공부와 선교사 훈련과정에만 집중할 것인지를 두고 고민하고 있었다. 오랫동안 몸담아왔던 직장을 하루아침에 그만둔다는 것이 생각만큼 쉽지 않았다.

그런데 어느 날, 뜻하지 않은 성령의 음성을 듣게 되었다.

그것은 바로 성령께서 나의 모든 삶을 책임져 주신다는 약속과 직장을 그만 내려놓으라는 말씀의 음성이었다. 나는 성령님의 말씀대로 직장을 내려놓고, 신학 공부에만 집중하고자 연구소를 퇴직했다.

그런데 퇴직을 앞두고 숭실대에서 최고경영자과정의 부원장직을 맡아달라는 제안을 받게 되었다. 그 당시 직장을 그만두는 것에 대해 하나님께 간구하기보다는 내 의지대로 해결해 보려는 욕심 때문에 오랫동안 힘든 시간을 보냈다.

하나님이 보시기에 내가 얼마나 힘들고 불쌍해 보이셨기에 직접 개입하셨을까 하는 생각이 들기도 했다. 훗날, 이 모든 과정 하나하나가 하나님께서 계획하셨던 일이었음을 깨닫게 되었다.

청년들에게 성경을 가르치다

2004년 새해, 나는 정동젊은이교회에서 성경 교사를 맡게 되었다.

이미 나는 야간에 강남대학에서 학부 학생들을 가르치고 있었기 때문에 교회 청년들을 지도하고 싶은 마음을 가지고 있었다. 새벽 기도할 때마다, 청년들에게 성경 말씀의 지혜를 가르칠 수 있는 기회를 달라고 간구했었다.

나는 아내와 함께 젊은이교회 C그룹 청년들을 맡기로 했다.

C그룹은 당시 1976년생부터 1980년생까지 주로 직장 초년생의 청년들이었다. 그동안 성경 교사 없이, 청년들 자체적으로 모임을 갖곤 했었다.

첫 모임에 청년 여섯 명만이 참석했다. 나는 가장 먼저 청년들을 위한 중보기도를 하기 시작했다. 또한, 청년들에게 성경 말씀을 휴대폰 문자로 보내기 시작하자, 한 주에 두세 명의 청년들이 함께 하기 시작했다.

어느덧 3개월 후, C그룹 청년 25명이 성경공부 모임에 참석했다. 청년들과 모임에서 성경에 관한 주제를 정해 지난 한 주간 동안의 삶의 이야기를 나누었다.

직장 일이든, 개인적인 일이든 가리지 않고, 모든 이야기를 함께 나누었다. 더욱 중요한 것은, 청년들을 위해 중보기도를 할 때마다, 하나님께서 응답을 주시기도 했다.

우리 모두는 진지한 마음과 자세로 서로 간의 대화를 나누었고, 청년 개개인의 고민에 대한 상담도 해주었다. 대부분 신앙이나 믿음에 대한 상담이었다. 그러자 모임이 활기를 띠고, 점차 새로운 청년들이 하나 둘 참여하기 시작하면서 그룹 인원이 50명이나 되었다.

이를 계기로 수요예배 후의 기드온 훈련과 토요일 새벽의 제자훈련, 그리고 일요일 주일예배가 끝나고 재정적 성경 교실 등을 청년들에게 가르쳤다.

낮에는 연구소에서 직장 일을, 야간에는 대학과 대학원에서 강의를 하고, 목회신학대학원에서 신학공부를 하며, 교회에서는 성경 교사를 맡았다. 일주일이 어떻게 지나가는지 눈코 뜰 사이 없이 분주하면서도, 가장 행복하고, 성령 충만한 시간이었다.

구하라! 찾으라! 두드리라!

매년 각 대학에서 여름방학이 시작되면, 정동젊은이교회 청년들이 공주와 논산 지역으로 하계 농촌봉사활동을 떠나곤 했다.

2005년 7월, 나는 공주와 논산 지역으로 약 100명의 교회 청년들과 함께 농촌봉사활동을 떠났었다. 그 당시, 공주에 있는 한 작은 교회에 10여 명의 청년들과 함께 갔다.

농촌봉사활동 중에 나는 새벽에 청년들을 깨워 성경 말씀을 전하고, 기도하며, 그날 해야 할 일들을 함께 의논했다. 그리고 그날의 봉사활동이 끝나면, 저녁에는 봉사활동의 결과를 평가하고, 함께 말씀을 나누며 기도하는 시간을 가졌다.

어느 날 저녁 12시, 청년들에게 성경 말씀을 전하기 위해 마태복음 7장 7절을 읽기 시작했다.

"구하라!"라고 읽는 순간, 갑자기 성령께서 내게 **"무슨 걱정이 그리도 많으냐. 당장 직장을 그만두어라. 왜 그리도 직**

장을 그만두는 것을 두고 괴로워하느냐. 내가 너의 모든 삶을 책임질 것이다. 걱정하지 말아라!"라고 말씀하셨다.

나는 갑자기 눈물을 쏟기 시작했다. 그러자 청년들은 영문도 모른 채, 울고 있는 내 모습을 보고 미안했던지, 모두 밖으로 나갔다. 성령님의 말씀을 듣고 나서야, 그동안 내 마음 한구석에 자리 잡고 있었던 모든 근심 걱정들이 한순간에 사라져 버렸다.

그 당시, 목회신학대학원 1학기를 마쳤고, 2학기 시작을 앞두고 있었다. 그런데 연구소에서 서울대와 컨설팅에 관한 협의를 하던 중이었다. 나는 서울대 각 단과대학 학장들, 대학원 원장들과 컨설팅 일정과 방법에 관한 논의를 마치고, 계약하기로 하였다. 만약 서울대 컨설팅을 시작한다면, 목회신학대학원에서 학업을 계속할 수 없을 것만 같았다. 그래서 신학 공부를 위해 연구소를 그만두어야 했다.

물론 언젠가는 아프리카로 떠나기 위해 연구소에 사표를 내겠다는 마음은 가지고 있었다. 막상 사표를 내려고 하니, 23년간 다녔던 직장을 그만둔다는 것은 쉬운 일이 아니었다. 사표를 오늘 낼까, 내일 낼까, 날마다 직장을 그만두는 것에 대해 고민하던 중이었다.

내 자신 스스로가 결정을 하지 못하고 있던 그때, 성령께서 내게 직장을 그만두라고 명령을 하신 것이었다. 내 마음이 얼마나 후련했던지, 일순간에 모든 고민이 사라져 버렸다.

일주일간의 농촌봉사활동을 끝내고, 바로 월요일에 출근해서 연구소에 사표를 냈다. 삼성에서 근무를 시작한 지, 23년 만에 삼성경제연구소를 끝으로 퇴직한 것이었다. 6개월의 안식년을 받아 목회신학대학원 2학기를 마칠 수가 있었다.

"구하라 그리하면 너희에게 주실 것이요 찾으라 그리하면 찾아낼 것이요 문을 두드리라 그리하면 너희에게 열릴 것이니 구하는 이마다 받을 것이요 찾는 이는 찾아낼 것이요 두드리는 이에게는 열릴 것이니라."(마 7:7~8)

예수께서 우리에게 세상의 삶 가운데 바라는 모든 일에 대해 하나님께 구할 뿐만 아니라, 찾고, 문을 두드려야만 한다고 말씀하신다.

우리가 정말로 온 마음과 정성을 다해 하나님께 기도한다면, 우리의 기도는 응답받게 될 것이라고 믿는다. 우리는 세상적인 삶 가운데 행복할 때도 있지만, 오히려 불행할 때도 있다. 물론 우리 스스로가 그러한 어려운 문제들을 우리 자신의 힘만으로도 해결할 수도 있다.

그러나 도저히 우리의 힘만으로는 해결할 수 없을 때, 하나님 앞에 나아가 진실된 마음으로 도와달라는 기도를 드려야

할 때가 있다. 그럴 때, 하나님은 우리의 기도를 외면하지 않으시고, 우리를 진정 사랑하시고 보살피시는 마음으로, 문제를 해결해 주신다고 말씀하신다.

숭실대 최고경영자과정을 맡다

삼성경제연구소 퇴직 3개월을 앞두고, 숭실대 중소기업대학원에서 최고경영자과정 담당 부원장직을 맡아달라는 연락을 받았다.

매우 뜻밖의 제안이었는데, 바로 하나님의 뜻임을 알았다.

이미 하나님은 삼성경제연구소를 그만두면, 숭실대 교수로 임용되도록 준비하고 계셨던 것이다. 사실 2년 전부터 야간에 숭실대 중소기업대학원에서 중소기업 CEO를 대상으로 야간 강의를 하고 있었다.

2006년 3월, 숭실대 교수 임용절차를 거쳐 중소기업대학원 최고경영자과정 부원장직을 맡게 되었다. 숭실대 최고경영자과정은 중소기업 CEO들이 경영에 관한 최신 경영이론이나 현장의 사례 연구 등을 통해 경영 능력을 배양하고자 하는 과정이었다.

나는 CEO들에게 가능한 다양한 분야의 전문지식을 갖춘 전문가들을 초빙하여 경영자들의 리더십 역량을 높일 수 있도록 여러 분야의 강좌를 개설하였다. 그리고 중소기업학부 강의도 맡았는데, 강의 시간을 통해 많은 학생들에게 복음을 전했다. 내 강의를 듣는 학생들과 시간이 날 때마다 함께 식사하면서, 신앙 상담을 통해 믿음을 갖도록 권유하기도 했다.

항상 강의 시작 전과 끝날 때, 학생들과 함께 기도를 했을 뿐만 아니라, 학생들 한 사람 한 사람의 이름을 부르면서 날마다 하나님께 중보기도를 했다.

"제가 가르치는 학생들에게 지혜를 더해 주시고, 사회생활 가운데 하나님으로부터 쓰임 받는 자녀들이 되게 해 주세요!"

또한 대학생들에게 복음을 전하기 위해 연구소에서 쓰기 시작했던 '마음경영의 5가지 성공법칙'이라는 복음 전도서를 다시 쓰기 시작했다. 물론 탄자니아 선교사로 떠나기 전, 비록 1년 간의 교수 생활이었지만, 대학생들을 가르치고, 복음을 전한다는 것이 얼마나 기쁘고 행복했던지 모르겠다.

심지어 계속해서 교수로서 대학 강단에서 학생들을 가르치고 싶은 욕심도 있었다. 숭실대 교수로 재직하면서 목회신학대학원 4학기까지 잘 마칠 수가 있었다.

마음 경영의 5가지 성공법칙

성공적인 삶을 살기 위해서 '스스로가 마음을 변화시킬 수 있는 방법'을 깨닫는 것이 대단히 중요하다.

우리 자신의 사고나 행동을 변화시키기 위해 기본적으로,

우리 마음의 변화가 먼저 일어나야 한다.

그렇다면 **"과연 마음을 변화시킬 수 있는 방법은 무엇일까?"** 나는 '마음경영의 다섯 가지 성공법칙'을 제시하였다.

● 제1법칙: 『변화(變化)의 법칙』

'변화'란 환경이 우리를 변화시키는 것이 아니라, 우리 마음의 변화를 통해 외부환경에 적응해 나가는 것이다. 먼저 우리의 마음을 바꾼다면, 생각과 태도가 변하고, 그리고 습관이 바뀐다. 우리의 마음을 근본적으로 바꾸어 본다면, 우리를 둘러싼 물질적 환경이 얼마나 빠르게 변화하는지 깨닫게 된다.

● 제2법칙: 『공감(共感)의 법칙』

'공감'이란 서로 다른 주체가 마음과 마음으로 통합하고, 그중에서 공통되는 것을 찾아내어 한마음으로 합심 노력하는 것이다. 쌍방 간에 주고받는 마음에서 공통점이 발견될 때, 형성되는 것이다. 공감은 마음과 기질을 서로 닮게 만든다. 공감을 얻으면 먼저 주위 사람들과의 인간관계가 좋아지고, 그들로부터 변화하는 과정에서 많은 도움을 받게 된다.

● 제3법칙: 『역량(力量)의 법칙』

'역량'이란 사람들이 생존을 목적으로 자신만의 경쟁력을 높이기 위한 총체적인 능력을 의미한다.

특히 빠른 환경변화에 대응하기 위해서는, 우리의 강·약점을 분명히 알고 있어야 한다. 그리고 우리의 강점들을 충분히 살려 끊임없이 개발하는 일이 무엇보다 중요하다.

따라서 우리의 역량을 파악하게 되면, 미래의 인생 성공을 위하여 당신이 꼭 해야 할 중요한 일들이 무엇인지를 깨닫게 된다.

● 제4법칙: 『학습(學習)의 법칙』

'학습'이란 변화에 능동적으로 대응해 나가는 과정이며, 하고 있는 일의 성과를 얻기 위해 능력을 키워 나가는 것이다. 우리 자신의 발전을 위해서는 스스로 문제를 발견하고, 해결해 나가는 능력의 개발과 더불어 다가오는 지식사회에서 새로운 지식의 습득을 위한 자기 주도의 학습능력개발이 필요하다.

● 제5법칙: 『자아실현(自我實現)의 법칙』

'자아실현'이란 우리가 가지고 있는 가치관에 따라

행동으로 나타나고 의도했던 일들이 이루어지도록 의식하는 것이다. 오직 우리 자신만을 위해 인생을 살아가는 것은 아니다.

타인을 위해 자신을 희생하고 헌신할 때, 비로소 인생 성공의 참된 의미를 느낄 수가 있다. 이를 위해서는 우리의 인생을 되돌아볼 수 있는 마음의 여유가 필요하다. 우리 자신만의 소명을 가지고 나눔과 희생을 통한 사회참여가 중요하다.

『마음경영의 5가지 성공법칙』단계

마음의 문을 열어라! → 마음의 변화 (생각, 태도, 습관, 인격, 인상, 말) — 변화의 법칙 → 공감의 법칙 / 역량의 법칙 / 학습의 법칙 → 자아실현의 법칙

정든 정동교회를 떠나다

2007년 12월, 목회신학대학원 졸업을 앞두고, 감리교단 본부 선교국에서 해외 선교사 파송 신청을 받기 시작했다.

그 당시, 정동교회 여선교회에서 우리 부부를 캄보디아 선교사로 파송할 계획이었으나, 여선교회 총회에서 캄보디아 선교 안건이 부결되고 말았다. 물론 여선교회 회장은 내게 1년만 더 기다려달라는 부탁을 해왔다.

또한, 해외선교부 담당 장로께서 세네갈 선교사로 파송을 하고 싶다는 제안을 하기도 했다. 그러나 우리는 이미 세네갈에서 선교를 하고 있는 선교사들이 떠나는 조건으로 세네갈에 가고 싶지는 않았다. 결국 하나님의 뜻이 탄자니아에 있다는 사실을 깨닫게 되었다.

사실 나는 정동교회에서 세례를 받았던 교인이었기에 선교사 파송을 받고 싶었다. 그러나 정동교회에서는 이미 아프리카 세네갈에 선교를 하고 있었기에 탄자니아까지 선교지를 확대할 계획이 없었던 것이다.

할 수 없이 파송을 해줄 수 있는 교회를 알아보기 시작했다. 마침 한 원로목사님의 도움으로 영등포중앙교회에서 자비량 선교사로 파송을 받기로 결정했다.

2008년 1월, 우리는 탄자니아 선교사 파송 준비를 위해 영등포중앙교회로 소속을 옮겼다. 우여곡절 끝에 우리는 영등포중앙교회에서 파송받기로 하고, 각종 선교사 인준서류들을 준비해서 교단본부 선교국에 제출했다.

Chapter 3 아프리카로 가는 길

"두려워하지 말라 내가 너와 함께 함이라 놀라지 말라 나는 네 하나님이 됨이라 내가 너를 굳세게 하리라 참으로 너를 도와주리라 참으로 나의 의로운 오른손으로 너를 붙들리라."(사 41:10)

1. 탄자니아로 향하다

'우리의 약속을 지키시는 하나님!'

2008년 3월 3일, 하나님께 3년간의 시간을 달라는 서원대로 목회신학대학원을 졸업하자마자 탄자니아로 선교훈련을 떠났다.

신학 공부를 시작한 지 만 3년만에 탄자니아로 떠나게 된 것이다. 탄자니아로 가기 위해 인천에서 두바이까지는 대한항공을, 두바이에서 탄자니아까지는 에밀레이트항공을 이용하기로 하였다.

그동안 삼성경제연구소에서 국내외 출장이 잦았던 탓에 항공사 마일리지를 꽤나 적립해 두었다. 퇴직 후, 마일리지를 사용해서 아내와 함께 해외여행을 다녀오려고 계획했으나, 탄자니아 선교여행에 사용하게 된 것이다.

먼저 대한항공 마일리지를 사용해서 두바이 왕복 무료 항공권을 구입했고, 아시아나항공 마일리지는 선교사역에 필요한 각종 생활용 물품들을 구입하는 데 사용했다.

그동안 연구소에서 일본과 미국, 유럽 지역에 출장을 자주

갔었지만, 아프리카 지역은 처음이었다. 특히 탄자니아는 아프리카 동부 중앙에 위치한 나라로 다른 나라들보다는 정치적으로 안정된 나라다.

탄자니아의 특유의 문화를 경험하면서, 과거 나의 어린 시절의 추억이 새삼 떠올랐다. 우리나라 1960년대 시절의 모습과 너무나 흡사한 문화들을 경험할 수가 있었기 때문이다.

탄자니아 국민들은 대부분 기독교, 이슬람교, 토속종교를 믿고 있다. 초대 대통령이 가능한 모든 국민들은 1인 1종교를 갖도록 권유했었다.

그래서 거의 모든 국민이 종교를 가지고 있다. 사실 탄자니아에 선교의 문을 처음 열었던 것은, 바로 독일 루터교 선교사들이었다.

탄자니아 땅을 밟다

2008년 3월 3일 월요일 오후 7시, 인천국제공항에서 두바이행 대한항공기에 탑승했다.

나는 출발하는 당일까지 선교여행으로 인한 설렘으로 새벽까지 잠 한숨을 이루지 못했다. 인천국제공항에서 약 10시간 반 걸려서 다음 날 자정 0시 15분, 두바이 국제공항에 도착했다. 두바이 국제공항에서 탄자니아행 에밀레이트항공기로 환승하기 위해 무려 10시간 동안, 공항에서 대기해야만 했다.

오랜 시간 기다린 끝에 오전 10시 50분, 드디어 탄자니아 행 에미레이트항공기에 탑승했다.

3월 4일 오후 3시 반, 두바이공항에서 약 5시간 반 걸려 탄자니아 수도 다르에스살렘 줄리어스 니에레레 국제공항에 도착했다. 탄자니아 국제공항은 한국의 지방 공항보다도 작고 초라했다. 다르에스살렘(Dar es Salaam)이란, 아랍어로 "평화의 집", 또는 "평화의 땅"이라는 뜻이다.

줄리어스 니에레레공항 이민국에서 간단한 입국 심사를 마치고, 수하물을 찾아 공항 밖으로 나오자 탄자니아 특유의 무더운 습한 날씨와 냄새가 느껴졌다.

시내로 들어오는 길 양 옆에는 갖가지 중고 물건들을 판매하는 많은 노점상들이 눈에 띄었다. 시내로 들어올수록 거리에 많은 사람들로 붐비고 있었다. 도로에는 많은 일제 중고 자동차들이 달릴 때마다 흙먼지가 뿌옇게 일어났다.

우리는 협력 선교사와 함께 다르에스살렘에서 선교사역을 하고 있는 한인 선교사의 집을 방문했다. 마침 우리가 도착한 날이 한인선교사회 임원들의 모임이 있는 날이었다.

임원들과 함께 저녁 식사를 하면서 인사를 나누었다. 저녁 식사를 마친 후, 시내에서 다소 떨어진 외곽 진 곳에 있는 자그만 장과니호텔에서 숙박했다.

탄자니아에 오기 전, 이곳의 불안한 치안에 대해 익히 들었던 터라, 첫날밤을 거의 뜬 눈으로 지새웠다. 다음날 아침, 식사하러 맞은편 호텔 식당에 갔더니 바로 눈앞에 아름다운 해변가와 인도양 바다가 보였다. 아침 식사를 마치고, 선교사 장기비자 서류를 제출하기 위해 이민국을 방문했다.

모든 서류를 접수하고 나니, 담당 공무원이 2주 후에 확인하라고 일러준다. 다르에스살렘 시내에 들어가서 몇 가지 필요한 생활용품들을 구입한 후, 사역지인 도도마로 출발했다.

탄자니아공화국(United Republic of Tanzania)[5]

도도마로 가는 길에 차창 밖을 내다보니, 수평선 양끝이 보이지 않을 정도로 광활한 대지에 우거진 숲, 맑은 공기, 마치 물감으로 칠해 놓은 듯한 짙푸른 하늘이 보였다.

탄자니아는 적도 바로 밑에 위치해 있으며, 밤하늘의 밝은 큰 달과 별들을 보고 있노라면, 금방이라도 머리 위로 쏟아질 것만 같았다. 얼마나 아름다운 자연을 가지고 있는 나라인지 실감할 수가 있었다.

단지 아쉬운 것은 물이 부족하다는 사실이다. 중국 기술자들이 와서 수십 미터 지하를 굴착해서 지하수를 끌어올려 주민들에게 수돗물을 공급하고 있다.

아프리카 동부에 위치한 탄자니아공화국은 1885년 독일이 탕가니카를 정복한 후, 독일 동아프리카에 통합했다. 1964년

탕가니카와 잔지바르가 합병하여 탄자니아공화국이 수립되었다. 탄자니아는 케냐, 우간다, 르완다, 부룬디, 콩고민주공화국, 잠비아, 말라위, 모잠비크 등의 8개 국가와 국경을 접하고 있다. 영토 넓이는 남한의 약 9.5배(945,087㎢)에 달한다. 인구는 약 6,174만명(2022년 말)이며, 이 중 15세 미만이 전체 인구의 45%에 달한다고 한다.

탄자니아의 유명 관광지로는 아프리카 최고봉인 킬리만자로산(해발 5,895미터), 탕가니카와 빅토리아 호수, 동물 왕국으로 유명한 세렝게티 국립공원 등이 있다. 1년 중 6개월간의 건기와 6개월간의 우기로 나뉜다. 우기 때는 한 차례 소낙비가 쏟아진 후에 쌍무지개 뜨는 광경을 자주 볼 수 있다.

탄자니아에는 약 130개 부족이 있으며, 부족 언어 이외에 공용어로 스와힐리어를 사용하고 있다.

1992년에 대한민국과의 첫 수교 이후, 한국 정부와 민간단체와의 상호 교류가 활발하게 이루어지고 있다.

최근 탄자니아 뉴스에서 한국 기업들이 다르에스살렘 해안가 바다 위에 해상 교량 건설과 행정수도인 도도마까지 운행하는 고속 전동차와 전기기관차 등을 시운전하고 있다.

행정수도 도도마(Dodoma)로 향하다

탄자니아 수도 다르에스살렘에서 서쪽으로 횡단하는 2차선

포장도로를 따라 도도마로 향했다.

탄자니아에는 대부분 비포장 도로가 많다. 포장된 국도를 따라 가다 보니 길 양쪽으로 아름다운 경치들이 펼쳐졌다.

3월이 탄자니아에서 가장 아름다운 계절이다. 녹색 나무들과 끝없이 펼쳐진 평원들, 그리고 낮게 떠있는 새하얀 뭉게구름들이 무척 평화로운 모습을 보여주었다.

이따금씩 마을이 나타나고, 중간중간에 길 좌우편에는 작은 시장들이 있어 물건을 사고파는 사람들로 북적거렸다.

도로가 양편에, 아침 일찍부터 일 나가는 농부들, 학교 가는 학생들, 오토바이와 자전거, 노새가 끄는 달구지들이 지나다니고 있었다. 특히 도로 한복판을 거닐고 있는 개와 염소와 닭들, 길가에서 한가로이 풀을 뜯고 있는 소들이 보였다.

도도마로 가는 중간 194킬로미터 지점에 위치한 모로고로를 통과했다. 모로고로를 벗어나자 도도마로 가는 도로에 주행하는 차들이 적었다. 점점 도도마에 가까이 다가갈수록 숲 대신에 황량한 벌판에 잡목과 무성한 잡초들만 보였다.

이상 기온 탓인지, 도도마 지역도 점차 준 사막화가 진행 중이었다. 다르에스살렘을 떠난 지 약 9시간 만에 도도마 감리교 선교센터에 도착했다. 벌써 해가 지고, 어두운 저녁이 되었다.

3월 3일, 한국을 출발해서 도도마에 3월 6일에 도착했으니,

3일 만에 도도마 선교지에 도착한 것이다. 도도마는 해발 1천 3백미터의 고산지대로, 아침저녁에는 한국의 가을 날씨처럼 제법 쌀쌀했다.

탄자니아 문화를 경험하다

탄자니아는 여러 부족들이 공존하는 나라다 보니 자연, 부족공동체 문화가 발달되어 있다.

특이한 점은 얼굴 모습만 보고서도 어느 부족인지 식별이 가능하다. 탄자니아인들은 노래를 부르며 춤추기를 즐겨한다. 놀면서 일을 즐기는 아주 여유로운 삶을 살아간다.

응고마라는 전통 노랫소리만 들리면, 일할 때라도 절로 몸을 흔들며 즐거워하는 모습들을 곳곳에서 볼 수 있다. 더구나 탄자니아는 기독교와 이슬람교와 관련된 공휴일이 많다.

특히 집안에 경사가 있을 때, 주민들이 대형 앰프를 가지고, 온 동네가 떠나갈 듯이 음악을 틀어 놓고서, 밤새 소리 지르며, 열광적으로 춤추는 풍습이 있다. 시끄러운 음악 소리와 춤추는 사람들의 괴성으로, 우리는 밤을 뜬 눈으로 지새운 적이 자주 있었다.

한 번은 국제전화카드를 구입하기 위해 도도마 우체국을 방문한 적이 있었다. 우체국에 들어가는데, 한 여직원이 나를 바라보며, 손가락으로 천장에 매달아 놓은 TV를 가리키는 것이었다.

천장에 달린 TV를 바라보니, 한국 드라마 대장금이 방영되고 있었다. 순간 나는 깜짝 놀랐으나, 우리나라 드라마가 탄자니아에서도 방영되고 있다니 참으로 반가웠다.

과거 탄자니아는 사회주의체제 국가였기에 관공서를 방문해 보면, 아직도 권위적인 문화가 여전히 남아있다는 것을 알 수가 있다. 주민들이 행정에 관한 일을 처리하는데, 많은 시간이 걸린다.

주민행정서비스라는 문화 자체가 없다. 물론 주민들도 사회주의체제의 타성에 젖어 있다 보니, 서로의 잘못을 비판하는 일이 없다. 잘못이 있어도 서로가 눈감아준다.

과거 사회주의체제 국가였기에, 병원 치료와 의약품 공급과 관련해서 정부 주도의 지원이 이루어지고 있다. 물론 국립병원이나 도립병원에 종사하는 모든 의사들의 급여는 정부에서 지급한다. 주민들은 국립병원이나 도립병원에서 저렴한 비용으로 치료받거나 의약품을 구매할 수가 있다.

탄자니아에서는 젊은 남녀들 대부분은, 조기 결혼하는 풍습을 가지고 있다. 바로 결혼식을 올리기보다는 서로 마음만 맞으면, 바로 동거에 들어간다. 왜냐하면 신랑이 신부 부모에게 지급해야 할 지참금이나 결혼 비용에 대한 부담감 때문이다.

그래서 대부분 아이를 낳은 후, 자금 형편이 좋아지면, 결혼식을 올린다. 문제는 동거하다가 서로 마음이 안 맞으면 아이는 친할머니 손에 맡기고는 각자 다른 사람들과 혼인한다.

우리 선교센터에 오는 아이들의 상당수가 할머니와 함께 사는 데, 방학 때만 되면, 아빠 집과 엄마 집을 번갈아 다녀온다. 부모와 떨어져 사는 대부분의 아이들은 부모의 정에 메말라 있다. 특히 무슬림들은 일부다처제로 대가족 가정들이 많다.

2. 첫 선교지 도도마

우리는 도도마 감리교 선교센터에 도착 후, 대통령 집무실과 국회, 상수도개발국, 비즈니스교육대학, 신학대학, 도도마 국립병원, 우체국, 중고등학교, 서점, 시장 등을 돌아보았다.

그리고 현지인 시골교회 부흥을 위해 전도사들을 대상으로 8일간의 영성세미나를 가졌다. 또한, 도도마 지역의 도시교회와 시골교회들을 돌아보며, 선교체험을 시작했다. 시골교회들을 방문할 때마다, 현지인 교인들과 함께 주일예배를 드리고, 찬양하며 설교도 했다.

또한, 도도마에 이름 있는 신학대학을 벤치마킹을 하였다. 모로고로에서 2개월간의 스와힐리어 언어 연수를 끝으로 4개월간의 선교체험훈련은 모두 끝이 났다.

도도마 감리교 선교센터

도도마 감리교 선교센터는 도도마 A지역에 위치해 있으며, 주변에는 도시의 빈민층들이 주로 거주하고 있다. 감리교 선교센터는 약 3천평 대지 위에 세워졌다.

선교센터 안에는 오래된 큰 나무들이 운치 있게 서 있고, 넓은 마당을 중심으로 신학원과 사무실, 기숙사, 선교사 숙소, 창고 등이 있다. 빈 공터에는 상추와 파, 고구마 등을 경작하는 작은 밭이 있다.

감리교 신학원은 약 90명을 수용할 수 있는 교실 3개, 기숙사에는 35명을 수용할 수 있는 방과 세면장이 있고, 사무실에 교수실과 작은 도서실, 그리고 신학원 식당이 있다.

이곳에서 도보로 3분 거리에는 약 2천 5백평의 선교센터 추가 부지가 있는데, 그곳에 약 250명을 수용할 수 있는 강당이 있다. 강당에서 예배도 드리고, 신학생들 결혼식도 하며, 동네 주민 행사를 위한 장소로 제공하기도 한다. 강당 주위 공터에는 밭으로 경작하고 있다. 빈 공터는 차후 신학원을 증설할 경우 강의실 등의 건물들을 추가로 건축할 계획이란다.

전도사 영성세미나

2008년 3월 11일부터 7박 8일 동안, 도도마, 마뇨니, 콘도 지역의 교회 전도사 34명을 대상으로 영성세미나를 가졌다.

시골교회 전도사들은 영성세미나에 참석하기 위해 시골에서 버스로 3시간 내지 7시간 걸려 감리교 선교센터에 도착했다.

영성세미나 시작 첫날에는 전도사들이 각자 자기소개를 하고, 우리는 신앙 간증을 통해 인사를 했다. 이번 영성세미나에서 우리는, '성경에서 배우는 섬기는 리더십'과 '신앙의 실천', 그리고 '미술 치료법'이라는 주제를 가지고 협력 선교사의 통역으로 강의했다.

매일 새벽 6시 30분, 전도사가 인도하는 새벽 예배를 시작으로 오전과 오후에는 주로 강의를 했고, 저녁에는 성경 구절 암송과 시골교회 부흥을 위한 분임토의를 했다. 그리고 늦은 밤 10시까지 예배와 기도 모임을 가졌다.

비록 장시간의 강행군임에도 불구하고, 전도사들 모두가 즐거워하며, 기쁜 마음으로 영성세미나에 참여했다.

새벽 기도회와 저녁 예배 때마다 전도사들이 하나님께 드리는 열정적인 찬양과 뜨거운 기도는 아프리카 특유의 타고난 율동과 리듬으로 드려지는 예배로 아주 인상적이었다.

영성세미나 기간 중에 중보 기도회를 갖는 등, 서로를 알수 있는 소중한 시간이었다. 영성세미나가 끝나고, 나는 전도사 한 사람 한 사람에게 세미나 수료증을 수여했다. 전도사들은 세미나 수료증을 받자 매우 기쁜 표정들이었다.

대부분 전도사들은 이번 영성세미나를 통해 자신들의 목회와 영성 심화에 큰 도움이 될 것이라는 소감을 이야기하였다.

여성 전도사의 저주 기도

영성세미나 기간 중, 아침저녁으로 전도사들은 각자 개인기도 시간을 가졌었다.

전도사들 중에서 가장 체구가 크고, 힘도 세고, 목소리도 가장 우렁찼던 마리에타 아다무란 여성 전도사가 있었다. 보통 남성 2배 정도의 체구를 지녔다.

어느 날, 방 안에서 새벽 기도를 하고 있었는데, 밖에서 유난히 크게 들려오는 기도 소리가 있었다. 거의 목놓아 부르짖는 소리였다. 그 당시, 나는 스와힐리어를 배우는 중이었기에, 그녀의 기도 내용을 전혀 알아들을 수는 없었다.

그러나 분명한 것은, 그녀의 기도 소리는 누군가를 저주하는 것이 아닌가 하는 의심이 들었다. 전도사들의 기도가 다 끝나고, 나는 협력 선교사의 통역으로 그녀와 상담을 했다.

나는 전도사에게 "당신의 기도 소리를 들어보니 마치 누군가를 저주하는 기도 같았는데 맞느냐?"라고 물었다. 그녀는 "그렇다!"라고 대답했다.

그녀는 누군가를 저주하지 않으면, 자신의 상처받은 마음이 풀리지 않는다는 것이었다. 그녀의 이야기를 다 듣고 나서, 나는 깜짝 놀랐다. 그녀가 저주의 기도를 할 수밖에 없었던 사정이 있었던 것이다.

"그가 저주하기를 좋아하더니 그것이 자기에게 임하고 축복하기를 기뻐하지 아니하더니 복이 그를 멀리 떠났으며 또 저주하기를 옷 입듯 하더니 저주가 물 같이 그의 몸 속으로 들어가며 기름 같이 그의 뼈 속으로 들어갔나이다."

(시 109:17~18)

다윗은 하나님 앞에서 원수를 용서하지 못하고, 한탄하며 저주했던 시편이다. 과연 하나님은 다윗의 저주의 기도를 들어 주셨을까?

나는 그 여전도사에게 저주의 기도는 분명, 하나님께서 기뻐 받으시지 않을 것이라고 이야기해 주었다. 비록 누군가가 미울지라도 용서와 축복의 기도를 해야지, 하나님께서 당신의 상처받은 멍에를 풀어 주실 거라고 말해주었다.

우리는 그녀의 손을 잡고 합심해서 기도했다.

그러자 그녀는 눈물을 흘리며 어릴 적에 부모로부터 학대받았던 일, 결혼 후에 노예처럼 일만 하다가 남편으로부터 버림받았던 일 등, 한숨을 쉬며 이야기하는 것이었다.

아직도 그녀의 마음 깊숙한 곳에, 과거에 받았던 마음의 상처에 대한 분노가 남아 있었다. 그녀는 도저히 그들을 용서할 수가 없었던 것이다. 지금은 자식들 마저도 그녀 곁을 떠나고 말았단다.

그래서 그녀는 점차 삶의 의욕을 잃어가고 있는 것만 같았다. 우리가 한국에 돌아온 후, 협력 선교사로부터 그녀의 소식을 전해 듣게 되었다. 전도사 생활을 그만두고, 시골에서 조용히 혼자 지내고 있다는 것이었다.

부쿨루교회 부활절 연합 예배

3월 22일 오전 10시, 우리는 콘도와 지역의 부쿨루교회에서 부활절 연합예배를 갖기 위해 북쪽을 향해 출발했다.

우리는 험한 시골길을 달리기에 용이한 트럭을 이용했다. 자연 운전석에 많은 인원이 탑승할 수가 없어, 나는 트럭 뒤 짐칸에 올라, 전도사와 함께 짐 위에 걸터앉았다. 트럭이 평탄치 않은 시골길을 달릴 때마다, 내 몸이 견딜 수가 없었다.

트럭 짐칸에는 주일예배 성만찬과 세례에 필요한 물품들과 건축 중인 시골교회에 전달할 건축자재 등이 실려 있었다. 가는 길에 갑자기 폭우가 쏟아지는 바람에 시냇가 다리가 끊겨 시간이 지연되기도 했다.

지나는 길에 먼저 교회 건축 중인 달라이교회에 싣고 온 건축 자재들을 내려주고, 탄달라교회와 부시교회, 그리고 음네니아교회를 거쳐 마지막으로 부쿨루교회에 도착했다.

캄캄한 늦은 밤 11시가 되어서야, 겨우 목적지인 부쿨루교회에 도착했다. 트럭으로 무려 14시간이나 걸렸다. 이 지역은 해발 1천 5백미터가 넘는 지역이라 밤에는 몹시 추웠다.

긴 여행 탓에 피곤했던지, 이불도 없이 호롱불을 켜 놓고, 침대에 눕자마자, 곧바로 잠이 들었다. 밤새 교회 주위의 숲 속에서 들려오는 들짐승들의 울음소리에 깊은 잠을 이룰 수가 없었다.

한밤중에 머리맡에서 이상한 소리에 잠이 깨어 눈을 떠보니, 침대 옆에 쌓아 둔 옥수수자루 위에서 박쥐 한 마리가 날카로운 이빨로 자루를 물어뜯고 있는 것이 아닌가? 쫓아냈지만 밤새 한숨도 잠을 이룰 수가 없었다.

부쿨루교회는 외벽을 진흙 벽돌로 쌓은 직사각형 모양에 함석지붕을 얹어 놓은 상태로 내부구조가 매우 간단했다. 함석지붕 아래에는 천장이 없었다. 내부는 벽돌을 쌓아 방들을 만들었고, 방안에 전등이 없어, 낮에 나무로 된 창문을 닫으면, 그야말로 컴컴하다. 바닥은 진흙 바닥이거나 시멘트로 되어 있었다.

밤새 내린 빗물로 세수하고, 빗물을 끓여서 홍차를 끓여 마셨다. 쌀로 만든 빵을 먹고 나서, 부활절 예배를 시작했다. 예배당은 약 15평 정도로 주변 3개 시골교회와 연합해서 약 30명의 교인들이 예배에 참석했다. 이 지역의 인구는 약 3천명이지만, 거의 무슬림들이기에 전도하기가 매우 어려운 지역이었다.

이 날 연합 주일예배에서 네 명의 청소년들에게 세례를 주었다. 탄자니아에서는 침례를 해야 세례를 받았다고 생각한다. 또한 포도주 대신 음료수로 성찬식을 거행했다. 비록 적은 인원의 교인들이 참석했던 부활절 예배였지만, 참으로 은혜로운 시간이었다.

신학대학과 현지교회 방문

도도마 신학대학을 방문해서 론(Ron) 학장을 만났다.

이 신학대학은 30년 역사를 가지고 있었으며, 약 2백명의 신학생들이 있었다. 이 대학은 "하나님의 성회"라는 교단 소속으로, 도도마에 있는 같은 교단의 교회를 중심으로 초 교파적으로 신학생들을 모집하고 있었다. 신학대학의 론 학장과의 면담을 통해 대학 운영에 관한 많은 경험담을 들을 수가 있었다.

또한, 우리는 도도마에서 교인 약 1천명이 넘는 현지교회의 주일예배에 참석했었다. 탄자니아 현지인 교회들의 예배는 춤과 찬양 시간이 1시간 반, 설교 시간이 1시간 반으로, 보통 3시간 이상 걸린다. 찬양할 때에는 모든 교인들이 자리에서 일어나, 예배당을 빙글빙글 돌면서 격렬한 춤과 노래로 하나님께 찬양한다.

우리의 선교훈련이 거의 끝나갈 무렵, 어느 자그마한 현지

인 교회 예배에 참석한 적이 있었다. 교인들 중에 무슬림 복
장을 한 고등학교 여학생들이 눈에 띄었다.

그 여학생들은 기쁜 표정으로 몸을 흔들면서 찬송가 소리
에 맞춰 춤을 추고 찬양하며, 헌금까지 하는 것이었다. 역시
청소년들은 엄한 율법을 지켜야만 하는 무슬림의 의식보다는
열정적인 찬양 예배가 좋았던가 보다.

스와힐리어(Swahili) 언어 연수

우리는 미국에서 거주하고 계시는 협력 선교사의 부친께서
갑자기 소천하셨다는 소식을 접했다.

협력 선교사는 부친 장례식에 참석하고자 미국으로 떠나야
만 했다. 그래서 우리는 2개월 간의 스와힐리어 언어연수를
하기 위해 모로고로에 있는 루터란어학원에 입학했다.

독일 루터교회 소속으로 한 울타리 안에 루터란세미너리라
고 하는 고등학교가 있다. 루터란어학원에 입학하던 첫날, 숲
속에 세워진 빨간 벽돌로 건축한 아름다운 기숙사가 눈에 뜨
였다. 우리는 어학원의 연수프로그램 4개월 코스 중간에 입
학했다.

이미 어학원에서 2개월 동안 언어 공부를 하고 있던 미국,
독일, 노르웨이, 스위스, 인도, 콩고 등지에서 온 20여 명의
선교사들과 함께 했다. 외국인 선교사들과 스와힐리어의 실

력 격차를 줄이기 위해 밤늦게까지 열심히 공부했다.

루터란어학원의 하루 일과는 오전 8시에 아침 예배를 시작으로 정오 12시까지 스와힐리어 강의를 듣고, 회화 연습을 했다. 오후 2시 30분부터 다시 언어 수업을 시작한다.

이미 진행되었던 과정의 진도를 따라가야 하기 때문에 공부할 양도 많았지만, 스와힐리어라는 새로운 언어를 알게 되니 재미가 있었다. 비록 2개월간의 짧은 언어연수 기간이었지만, 외국인 선교사들과 좋은 관계를 맺으며 함께 생활하는 것이 너무나 즐거웠다.

우리는 언어 연수과정에서 인도인 수녀들과 스위스에서 온 의사 선교사 가정, 노르웨이에서 온 젊은 선교사 신혼부부, 미국에서 온 선교사 가정들과 친하게 지냈다.

특히 인도인 수녀 중에 유난히 한국 여성처럼 보이는 수녀가 있어, 나도 모르게 종종 한국말로 말을 걸기도 해서 폭소를 자아낼 때도 있었다.

언어 연수가 끝나갈 무렵, 모두가 함께 미쿠미 국립공원에 야외 나들이를 다녀오기도 했다. 마지막 언어 연수가 끝나고, 루터교회의 주일예배를 선교사들이 주도했다.

그 당시 나는 한창 색소폰을 불고 있던 시기였기에, 예배 시작 전과 끝나고 나서, 교회 밖에서 축도하기 전에 찬송가를 연주하기도 했다.

3. 목사 안수와 선교사 파송식

2009년 6월, 탄자니아 선교훈련을 마치고 돌아오자마자, 바로 목사 고시를 준비하기 시작했다.

다행히도 6개월 후에 치렀던 목사 고시에 합격해서 목사 안수를 받을 수가 있었다. 그리고 감리교단 본부에서 정한 절차에 따라 선교사 파송식을 준비했다. 2009년 4월, 감리교 목사 안수를 받고 나서, 탄자니아 선교사 파송식을 가졌다.

우리는 탄자니아로 떠나기 전, 탄자니아에 가져갈 선교물품들을 준비했다. 특히 자원봉사자들의 헌신적인 참여로 탄자니아 신생아들을 위한 생명모자인 털실모자를 준비할 수가 있었다.

그 이외에 현지인들에게 나눠 줄 선교물품들과 교회에서 사용할 음향장비들, 그리고 개인 생활용품 등을 가져가기 위해 선박 컨테이너운송을 준비하기 시작했다.

목사 고시에 통과하다

감리교 목사 안수를 받기 위해서는 목회신학대학원 졸업

후, 3년 동안 3번의 목사 고시에 합격해야만 했다.

그러나 예외적으로 선교사는 먼저 목사 안수를 받고, 선교지 파송 후, 3년 차까지 매년 목사 고시에 응시해야만 했다.

감리교단 본부에서 주관하는 목사 고시의 첫 관문은 바로 성경 시험이었다.

성경의 신구약에서 모두 200문제가 출제되었는데, 성경을 암송해서 답안을 작성해야만 하는 주관식 문제들이 너무나 많았다. 특히, 성경 암송구절 20문제가 출제되었다.

늦은 나이에 성경 구절을 암송한다는 것은 그리 쉬운 일이 아니었다. 그리고 신학 관련 논문 한 편을 직접 자필로 작성해서 제출해야만 했다. 그 당시 나는 북한산 자락 아래 홍은동아파트에 살고 있었다. 매일 아침 목사고시 준비를 위해 서울시교육청 산하 서대문도서관을 자주 이용했다.

2009년 2월, 감리교 베다니교회에서 목사고시를 치렀다. 다행히 시험 시작 전에 기도하며 외워 두었던 문제들이 대부분 출제되었다. 1차 연도 목사고시에 합격해서 서울남연회 총회에서 목사 안수를 받을 수가 있었다. 지금 생각하면 어떻게 목사고시에 통과했는지 생각만 해도 꿈만 같다.

오직 선교사로서 탄자니아 선교지에 꼭 나가야만 한다는 일념 때문에 모든 과정을 통과했던 것이 아니었을까 생각이 든다.

늦은 나이에 목사 안수를 받다

2009년 4월 22일, 서울남연회에서 56세의 늦은 나이에 감리교 목사 안수를 받았다.

다행히도 감리교단 규정상 목사 안수를 받을 수 있는 나이는 만 57세까지였다. 만약 1년 뒤늦게 신학공부를 마쳤었더라면, 목사 안수를 받을 수가 없었다. 사실 감리교단에서 목사 안수를 받았던 대학원 졸업생 중에서 내가 가장 연장자였다.

목사 안수를 받은 후, 영등포중앙교회에서 우리 부부를 위한 선교사 파송식이 있었다. 선교사 파송식에 부모님과 형제들, 친척들, 친구와 동료들, 그리고 교회 교인들을 초대했다.

파송식에는 파송교회 교인들뿐만 아니라, 예전에 다녔던 정동교회 전도사들과 교인들도 함께 참석해 주셨다.

특별히 각당복지재단 김옥라 장로님과 자원봉사자들도 자리를 함께 해 주셨기에 더욱 뜻깊은 자리가 되었다. 마침 파송교회 장로들과 여선교회에서 선교사 파송식을 정성껏 준비해 주셨다. 너무나 감사한 일이었다. 먼저 하나님께 감사드렸고, 이어서 파송식에 참석하신 분들께 감사의 말씀을 전했다.

"예수님으로부터 받은 사랑이 너무나 크기에 나 역시, 그 사랑을 탄자니아 아이들에게 나눠주려고 합니다. 나는 예수님께 사랑의 빚을 진 사람입니다."

파송식 마지막에, 모든 교인들이 자리에서 일어나 찬송가 323장 **"부름 받아 나선 이 몸"**을 찬양했다.

"부름 받아 나선 이 몸 어디든지 가오리다 괴로우나 즐거우나 주만 따라 가오리니 어느 누가 막으리까 죽음인들 막으리까....."

찬송가를 부르면서 울컥하는 마음과 감격에 겨워 눈물이 쏟아질 것만 같았다. 나는 마음속으로 "아! 정말 선교지로 떠나는구나!"라며 되뇌었다. 그렇게도 기다리던 선교지로의 출발이 시작되고 있었다.

신생아들을 위한 생명모자

2009년 4월 28일, 사회복지법인 각당복지재단에서 탄자니아 신생아들을 살리기 위한 생명모자 전달식이 있었다.

생명모자란 탄자니아 신생아들에게 씌워줄 털실모자다.

생명모자 전달식에는 그동안 생명모자 뜨기에 참여했던 자원봉사자들과 아낌없이 후원했던 각당복지재단 이사장님과 직원들, 자원봉사자들이 함께 했다.

각당복지재단 사무실에는 자원봉사자 한 사람 한 사람의 정성 어린 손길을 거쳐 완성된 여러 가지 색색의 털실로 짜인 자그마하고 아름다운 털실모자 2,259개가 가지런히 놓여 있었다.

하나님께서 이 아름다운 모습을 보시고, 얼마나 기뻐하실지를 생각하니 마음이 찡했다. 나는 탄자니아 신생아들이 아름다운 털실모자를 쓴 얼굴 모습들을 떠올리니 절로 눈물이 글썽였다.

털실모자는 탄자니아 신생아들이 저체온증으로 사망하는 것을 예방해 준다. 탄자니아는 저체온증으로 인한 신생아 사망률이 가장 높은 나라 중의 나라다. 신생아들의 사망 원인은 말라리아와 폐렴, 그리고 저체온증 등이다. 물론 탄자니아는 더운 나라지만, 아침저녁으로 일교차가 크기 때문에 신생아들이 저체온증으로 생명을 잃는 경우가 많다.

보통 탄자니아가 열대지방이기 때문에 당연히 방안에 불을 피우지 않고도 잠을 잘 수 있을 것이라고 생각하기 쉽다.

그러나 해발 1천미터가 넘는 고산지대는 일교차가 크기 때문에 불을 피워야 잠을 잘 수가 있다. 탄자니아 사람들은 기온이 섭씨 20도 이하로 내려가면 털 잠바나 두꺼운 스웨터에 털모자까지 쓰고 다닌다. 그들은 더위에 강한 반면 추위에 아주 약하다.

'생명모자 뜨기' 행사에 자원봉사자들과 여고생들, 청소년 쉼터와 청소년자립생활관의 청소년들, 그리고 교회 교인들 모두 약 300명 이상 참여하였다.

처음엔 생명모자 200개 정도를 준비할 계획이었는데, 무려 11배가 넘는 2,259개나 만들었다. 털실모자는 먼저 선박 컨테이너에 실어 탄자니아로 보냈다.

생명모자를 떴던 어느 자원봉사자는 하나님의 은혜로 오랜 질병에 고통받던 가족이 치유받았다고 한다. 하나님께서는 어린 생명을 구하는 자원봉사자들의 손길 손길마다 크신 사랑과 은혜를 베풀어 주셨다.

대부분의 자원봉사자들은 직접 자비로 털실을 구입해서 생명모자를 만들었다. 비록 힘든 일이었지만, 하나님의 은혜를 느꼈으며, 기쁜 마음으로 생명모자를 만들었다고 한다.

정말 하나님의 뜻이 아닌 이상, 있을 수가 없는 일이었다. 하나님께 감사한 일이 아닐 수가 없었다.

탄자니아 선교물품을 준비하다

탄자니아로 출발하기 5개월 전부터 선교지에 가져갈 각종 선교 물품들을 준비하기 시작했다.

처음엔 탄자니아에 선교물품을 가져갈 계획이 없었다. 왜냐하면 이미 컨테이너 운송을 해본 경험이 있는 선교사들이 이구동성으로 컨테이너 운송을 만류하는 것이었다. 컨테이너 렌트와 관세, 복잡한 통관 절차와 비용 때문이었다.

그런데 지난해 탄자니아에서 선교훈련 기간 중에 만났던 한인 선교사가 내게 컨테이너 운송을 함께 하자는 제안을 해왔다. 그 선교사는 이미 컨테이너 운송을 해본 경험이 있기에 모든 통관 절차를 자신이 책임지고 하겠다고 했다.

그 선교사의 말만 믿고, 우리가 6피트짜리 컨테이너 3분의 2를, 모로고로 선교사가 3분의 1을 각각 사용하기로 합의했다.

우리의 컨테이너 운송 소식을 알고, 부곡장로교회에서 신생아 담요, 가재수건, 의약품, 중고 옷가지, 동화책, 각종 어린이 놀이용품 등 너무나 많은 선교물품들을 준비해 주셨다.

그리고 우리가 가져갈 교회 방송장비들과 생활용품들 - 앰프, 스피커, 마이크, 빔프로젝트, 드럼, 침대, 냉장고, 이불, 그릇, 옷가지, 신발 등-을 컨테이너에 실었다. 그러나 컨테이너를 함께 사용하기로 했던 선교사는 처음 약속과는 달리, 한번도 컨테이너 운송을 해본 적이 없었다.

하는 수 없이 내가 직접 컨테이너 적재에서부터 터미널까지의 운송, 그리고 탄자니아에 입국해서 각종 통관 서류 작성과 에이전트 계약 등, 모든 일들을 맡아서 처리할 수밖에 없었다.

물론 에이전트 계약과 통관 서류 작성도 힘든 일이었지만, 무엇보다도 컨테이너 운송 비용과 선교 물품에 대한 관세,

그리고 통관 비용도 상당했다.

  만약 이렇게 많은 비용을 지불할 줄 알았었더라면, 컨테이너운송을 하지 않았을 것이다. 그 이후로 지금까지 단 한 번도 컨테이너운송을 하지 않았다.

4. 도도마 감리교회 개척

2009년 6월 8일 자정 1시 30분, 우리는 두바이행 항공기에 탑승해서 인천국제공항을 떠난 지 10시간 반 만에 두바이 공항에 도착했다.

두바이공항에서 3시간 대기 후, 탄자니아행 항공기에 탑승해서 5시간 반 걸려, 탄자니아 다르에스살렘 줄리어스 니에레레 국제공항에 도착했다.

지난해 선교체험훈련에 이어 두 번째로 탄자니아 땅을 밟았다. 두 번째 방문이라서 그런지, 주위 환경들이 왠지 낯설지가 않았다. 도도마에 도착하자, 우리는 도도마 감리교 선교센터 안에 있는 신학원과 유치원 운영을 시작했다.

지난해 전도사 영성세미나 기간 중, 새벽 기도 가운데 성령께서 교회를 개척하라는 소명을 받은 대로 감리교 선교센터 안에 도도마 감리교회를 개척했다.

아직 신학생 선발 시기가 아니었기에 신학원 운영에 앞서 감리교회를 개척하기로 한 것이다. 왜냐하면 도도마 감리교 선교센터는 34개의 시골교회를 개척하고, 전도사들을 지원하고 있었지만, 정작 도도마 감리교 선교센터 안에 본교회가 없었기 때문이었다.

그래서 신학원 강당을 도도마 감리교회 예배당으로 사용하기로 결정했다. 교회 예배당 중간에 커튼을 치고, 뒤편 공간에는 이미 불타버린 동네 유치원이 입주해서 선생님들이 아이들을 가르치고 있었다.

도도마 감리교회 봉헌

도도마 감리교회를 개척하기로 하고, 교회 이름을 도도마 감리교회로 정했다.

강대상 벽에는 큰 나무십자가를 걸었다. 정문 옆에 교회 이름과 예배 시간을 안내하는 입간판을 준비했다. 먼저 철판과 파이프를 구입해서 용접한 후, 간판 위에 십자가와 교회 이름, 그리고 예배 시간 등을 페인트로 썼다. 그리곤 교회 정문 옆에 안내 입간판을 세웠다.

그리고 나서 교회 십자가를 제작, 설치하기 위해 지붕 위로 올라갔다. 지붕 처마 밑에 십자가를 설치하는 순간, 갑자기 성령 충만함을 느꼈다.

마치 하늘에 계신 하나님께서 십자가를 세우고 있는 나를, 바라보고 계시는 것만 같았다. 전날까지 주일예배 준비를 위해 시장에서 구입한 '키탐바'라는 옷감 천을 가지고 강대상

뒷벽에 휘장을 설치했다.

전도사 가족들과 함께 예배당 안에 있는 장의자 60개를 청소하기 시작했다. 전도사 가족들, 특히 초등학교 재학 중이던 세 명의 딸들이 우리를 도와 열심히 장의자를 청소했다.

예배당 시멘트 바닥은 물청소로 진흙 먼지를 모두 씻어냈고, 창문과 벽도 걸레질을 하고 나니 아주 깨끗해졌다. 강대상에는 탁자와 의자를 비치하고, 마지막으로 장의자를 예배당 안으로 들여서 줄을 맞춰 정리했다.

모든 청소와 정리가 끝나고 나니, 250여 명의 교인들이 함께 예배를 드릴 수 있는 아름다운 예배당으로 변모했다. 끝으로 주일예배 순서대로 우리와 전도사 가족들이 함께 색소폰을 불고, 북을 치며 찬양 연습을 해보았다.

불타버린 동네 유치원

"내가 진실로 너희에게 이르노니 누구든지 하나님의 나라를 어린 아이와 같이 받들지 않는 자는 결단코 그 곳에 들어가지 못하리라 하시고 그 어린 아이들을 안고 그들 위에 안수하시고 축복하시니라."(막 10:15~16)

탄자니아에 입국하기 전, 한국에 있을 당시에 탄자니아 협력 선교사로부터 이메일을 받았다.

도도마 선교센터와 가까운 동네 유치원에서 불이나 건물이 전소되는 바람에 약 80명의 유치원생들이 오갈 데가 없다는 것이었다. 그래서 유치원 원장이 선교센터에 찾아와 신학원 강당을 2개월 정도 사용하고 싶다는 부탁을 했단다.

당초 신학원 강당을 도도마 감리교회로 개척하기로 결정했기에 협력 선교사는 당분간 유치원 운영을 위해 강당을 빌려주어도 좋은 지 내게 의견을 물어왔다. 나는 무상으로 2개월간 빌려주는 것이 좋겠다는 의견을 전했다.

얼마 후, 유치원 원장이 2개월 후에도 여전히 갈 곳이 없다는 것이었다. 다른 곳으로 옮겨야 하는데, 그럴 형편이 못된다는 것이었다.

나는 탄자니아 선교 계획에 유치원 사역도 있고 해서, 이번 기회에 불타버린 동네 유치원을 인수할 것인지를 두고 고민하고 있었다. 그래서 나는 예수님께 유치원을 인수해도 좋은지를 여쭈었다.

기도한 지 이틀째 되는 날!

예수님께서 **"용우야, 나는 아이들을 무척 사랑한단다. 너도 아이들을 사랑하지 않니?"** 라고 말씀하시는 것이었다.

그 말씀을 듣는 순간, 눈물을 흘리고 말았다.

갑자기 지난날 뇌성마비아이를 통해 예수님의 뜨거운 사랑을 받았던 기억이 떠올랐기 때문이었다. 예수님께서 나보다 탄자니아 아이들을 지극히 사랑하고 계신다는 사실을 깨닫게 되었다.

나는 예수님께 **"아이들을 잘 돌보겠습니다."**라고 약속드렸다. 마냥 기쁜 마음으로 협력 선교사에게 우리가 유치원을 운영하겠다는 의견을 전했다. 그리고는 우리가 탄자니아에 갈 때에 유치원에서 필요한 학습자재들이 있으면, 연락을 달라고 했다.

벌써부터 도도마에서 유치원 아이들을 만날 생각을 하니, 마냥 마음이 설레었다. 동네 유치원의 화재를 우리의 선교사역으로 이어지도록 만드시는 하나님의 계획이라고 믿었다

얼마 후, 우리는 도도마 선교센터에 도착하자마자, 바로 유치원 원장, 선생님들과 인사를 나누고, 앞으로 유치원 운영을 어떻게 할 것인지에 대해 함께 의견을 나누었다.

원장과 선생님들 모두가 그리스도인들로 좋은 분들이라는 느낌을 받았다.

그 당시 유치원은 방학 중이라 비록 아이들을 만날 수는 없었지만, 대신 원장이 아이들의 사진을 보여주어서 80명의 아이들의 발랄한 얼굴 모습들을 볼 수가 있었다.

유치원 원장과 선생님들은 앞으로 우리와 함께 유치원을 운영하는 것에 대해 매우 흡족해했다. 그리고 유치원 이름을 '행복한 유치원'이라고 정했다.

시각장애인 예배

도도마 감리교 선교센터에서 3개월에 한 번씩, 시각장애인들과 그 가족 모두가 함께 예배를 드렸다.

약 100명의 시각장애인들과 그 가족들이 선교센터에 와서 예배 전에 마당에 둘러앉는다. 내가 색소폰으로 찬송가를 연주하면 모두가 찬양을 했고, 나는 설교를 했다. 예배 전에 드리는 찬양은, 우리의 마음에 기쁨을 주었고, 은혜로웠다.

탄자니아에는 강렬한 햇빛으로 인해 시각장애인들이 유난히 많다. 아마도 강렬한 햇빛으로 인해 눈에 질병이 생겨도 가난 때문에 치료받기가 어렵거나, 아니면 끼니 때우기가 어려워 영양실조로 인해 시력이 약해진 탓인지도 모른다.

그렇다고 자신들이 직접 생계를 꾸려 나갈 수 있는 아무런 직업도 없다. 그래도 우리나라의 시각장애인들은 안마시술사라는 특수한 직업이 있으나, 탄자니아에는 그나마 그와 같은 직업도 없다. 오직 거리에 다니며 구걸하는 방법밖에 없다.

시각장애인들과 함께 온 가족들이 찬양을 드릴 때마다, 너무나도 아름다운 천상의 소리를 듣는 것 같았다.

'정말 어떻게 그 같은 아름다운 소리를 낼 수가 있을까?'

이들이 세상의 악하고, 더러운 것들을 볼 수가 없기 때문에 이렇게 아름다운 소리를 내는 것이라고 생각했다.

아마도 시각장애인들은 악한 세상을 볼 수 없기에 아름다운 곳으로만 상상하는 것이 아닐까?

그래서 선한 마음을 갖고 있기 때문에, 그렇게도 아름다운 소리를 내는 것이라는 생각 했다. 그들이 선교센터에 찾아올 때마다 한 사람 당 1만실링(한화 6천원)씩을 도와준다.

비록 적은 돈이지만, 탄자니아에서는 어느 정도 생활에 보탬이 되는 금액이다. 비록 그들이 앞을 볼 수도 없고, 형편이 어려울지라도, 오직 예수님에 대한 믿음으로 커다란 위안을 삼는 것 같았다.

"예수께서 머물러 서서 그들을 불러 이르시되 너희에게 무엇을 하여 주기를 원하느냐 이르되 주여 우리의 눈 뜨기를 원하나이다 예수께서 불쌍히 여기사 그들의 눈을 만지시니 곧 보게 되어 그들이 예수를 따르니라."(마 20:32~34)

예수님은 길에서 만난 두 맹인을 측은히 여기셔서, 그들의 눈을 뜨게 하셨다. 예수님을 통해 고침을 받고, 눈을 떠서 세상의 빛을 보게 된 것이다.

그 맹인들은 단순히 **'육신의 눈'**을 떴을 뿐만 아니라, **'믿음의 눈'**을 떠서 예수님을 따랐다. 그 믿음 안에서 그들은 새로운 세상을 알게 되었고, 바르게 볼 수가 있었다.

감리교회의 첫 주일예배

2009년 6월 21일 일요일, 드디어 도도마 감리교회의 첫 주일예배를 드렸다.

예배 10분 전, 색소폰으로 찬송가를 연주하자 조용하던 마을에 울려 퍼졌다. 가장 먼저 전도사 가족들이 참석했고, 뒤이어 선교센터에서 일하는 직원들과 가족들, 그리고 유치원 원장과 교사들이 예배에 함께 했다.

먼저 프레디 전도사가 예배를 인도했다. 찬양팀은 전도사 사모 이스타나와가 북을 치며, 딸 셋과 함께 춤추며 찬양했다. 예배에 참석한 교인들도 찬양팀의 노래와 율동에 맞춰 자리에 일어서서 함께 찬양하며 춤추기 시작했다. 탄자니아 특유의 열정적인 찬양으로 하나님께 감사와 영광을 올려드린 후, 외부에서 참석한 교인들이 자기소개와 인사를 하였다.

그리고 협력 선교사가 대표기도를 한 후, 나는 **"너희도 서로 사랑하라!"**(요 13:34~35)라는 주제로 설교했다.

비록 적은 수의 교인들이 참석한 예배였지만, 그 분위기만은 열정적이었고, 은혜로웠다. 예배 시작부터 끝나는 순간까지 성령께서 함께 하신다는 것을 느낄 수가 있었다.

처음에는 협력 선교사의 통역으로 주일예배 설교를 하곤 했다. 그러나 언제까지 마냥 협력 선교사의 도움을 받을 수가 없었기에, 내가 직접 스와힐리어 설교를 하기로 결심했다.

주일예배 전에 미리 스와힐리어로 설교문을 작성한 후, 프레디 전도사 앞에서 읽으면, 전도사가 수정을 해주곤 하였다. 그렇게 몇 번을 반복하다 보니, 스와힐리어로 설교할 수 있는 실력이 점차 향상되었다.

5. 성령께서 함께 하시다

"하나님! 제가 탄자니아에 가서 선교사역을 통해 하나님의 뜻을 잘 이루어 갈 수 있도록 모든 능력과 은사를 주세요!"

탄자니아로 떠나기 전, 매일 하나님께, 내게 능력과 은사를 달라고 기도했다.

도도마 선교센터에서 교회 사역을 시작하자, 교인 중에 귀신 들린 사람들과 환자들이 있었다. 나는 이들을 위해 정성껏 안수기도와 치유기도를 해주었다. 기도할 때마다, 성령께서 역사하시는 놀라운 경험들을 했다. 정말 하나님은 내게 많은 능력과 은사를 주셨다.

도도마 감리교 선교센터 주위에는 무슬림 회당이 있고, 바로 맞은편에 무슬림 가정의 어린이들을 위한 유치원을 건축하고 있었다. 물론 선교센터 주변에는 많은 무슬림 가정들이 거주하고 있었다. 매일 새벽 4시만 되면, 무슬림들의 코란의 낭송 소리가 회당의 대형 스피커를 통해 온 동네에 울려 퍼졌다. 무슬림들은 하루 다섯 번 기도하는데, 밤늦게까지 대형 스피커로 기도 소리를 방송하는 바람에 온 동네가 시끄러웠다. 그러나 동네 주민 어느 누구도 무슬림들의 요란한 기도 방송에 불만을 토로하거나 이의를 제기하지 않았다.

새벽기도를 하는 그리스도인이라면, 무슬림들보다 먼저 잠에서 깨어 기도해야만 했다.

귀신 들린 사람들

도도마 시내를 거닐다 보면 간혹 거리에서 큰소리치며, 방황하는 귀신 들린 사람들을 종종 보게 된다.

지난해, 선교체험훈련 당시 감리교 선교센터와 시골교회에서 여러 환자들과 귀신 들린 사람들을 위해 치유기도를 해준 적이 있었다. 그들 중, 어떤 환자는 예수님에 대한 치유의 기적을 믿고 찾아오기도 한다. 그런데 놀랍게도 믿음 있는 환자들에게는 치유의 영이 임한다.

"예수께서 꾸짖어 이르시되 잠잠하고 그 사람에게서 나오라 하시니 더러운 귀신이 그 사람에게 경련을 일으키고 큰소리를 지르며 나오는지라."(막 1:25~26)

안식일에 가버나움의 한 회당에서 귀신 들린 사람이 예수님을 알아보고 무서워하며 소리지르자, 예수님이 고쳐 주셨다. 무슬림들도 예수님의 이름으로 귀신을 쫓아낼 수 있다는 사실을 잘 알고 있다. 그래서 종종 귀신 들린 무슬림들이 교회에 찾아온다.

하루는 어느 시골교회 전도사한테 연락이 왔다. 연세가 아주 많으신 무슬림 할머니가 교회에 와서 자신의 몸에서 귀신을 쫓아내 달라고 전도사한테 애원하더란다. 그래서 이 전도사가 어찌할 바를 모르고, 협력 선교사한테 도와달라고 부탁했던 것이다. 우리는 협력 선교사와 함께 그 전도사가 시무하는 시골교회에 갔다.

마침 무슬림 할머니가 넋이 나간 상태로 교회에 앉아 있었다. 나는 그 할머니 앞에 무릎을 꿇고, 기도하기 시작했다.

순간 내 앞가슴에서 강력한 성령의 힘이 나와 바로 무슬림 할머니한테로 들어가는 것을 느꼈다. 마치 뜨거운 물이 흘러 들어가는 것처럼 느꼈다. 할머니는 무척 놀라는 모습이었고, 이미 귀신이 그녀에게서 떠났다.

그 뒤로 많은 귀신 들린 현지인들을 위해 기도할 때마다, 귀신들이 떠나는 경험을 했다. 물론 귀신 들린 사람들뿐만 아니라 병자들을 위한 치유기도도 많이 해주었다.

사랑받지 못한 아이들

감리교 선교센터에는 무슬림 가정에서 쫓겨난 할머니와 아주 예쁜 어린 두 손녀가 함께 살고 있었다.

그 손녀들은 5살 바이레티와 3살 프라하라는 이름을 가진 아이들이었다. 둘 다 눈이 크고 반짝이며, 이목구비가 뚜렷한 것이 얼마나 예뻤던지 모른다. 선교센터에서 우리에게 기쁨을 주는 유일한 재롱둥이들이었다. 아이들은 우리를 "Baba! (아빠!), Mama!(엄마!)"라고 부르며 잘 따랐다.

아이들의 엄마가 집을 나가 아빠와 별거했던 탓에 유독 부모의 사랑을 받지 못했다. 종종 우리가 아이들과 함께 놀아주고 잘 보살펴주었더니, 부모와 같은 정을 느꼈나 보다. 때론 우리 부부의 품에 안겨 곤히 잠을 자곤 했다.

한국에 돌아와서도 한 동안, 그 아이들의 얼굴이 아른거리고, 그리워지는 것을 느꼈다. 그래서 협력 선교사에게 종종 아이들의 안부를 묻곤 했다. 우리는 아이들의 유치원 입학을 후원했다.

그런데 아이들의 할머니가 에이즈로 약을 복용하고 있다는 사실을 전해 들었다. 그동안 우리가 아이들의 할머니와 함께 생활하면서 전혀 모르고 있었던 사실이었다.

아마도 아이들의 할머니가 자신이 에이즈 감염자라는 사실이 알려지면, 쫓겨날까 두려워서 숨겨왔던 것이다. 혼자 몰래 에이즈 치료약을 복용하고 있었다.

그런데 얼마 전부터 귀엽던 두 손녀가 아무런 이유 없이 피부가 이상해지고, 아프기 시작했는데, 아무래도 에이즈에 감염된 것 같다는 것이었다.

정말 믿기지 않는 소식이었다. 너무나 마음이 아팠다. 어린 나이에 벌써부터 에이즈라는 죽음의 병과 싸워야 하다니, 도무지 믿어지지가 않았다.

아이들을 위해 우리가 할 수 있는 일이란, 오직 하나님께 기도하는 일 밖에 없었다. 그 할머니와 아이들의 생명을 구해달라고 날마다 하나님께 기도했다.

얼마 후, 협력 선교사로부터 연락이 왔다. 모두 피검사를 했는데 다행히 에이즈균이 없었다고 한다. 얼마나 기뻤던지 모른다. 두 번 정도 더 피검사를 한다고 한다. 나는 하나님의 은혜로 모두가 치유받았다고 확신했다.

우리에게 어떠한 어려움이 있을지라도 참고, 인내하며, 때가 올 때까지 오직 하나님 한분만을 믿고, 기도하며 기다린다면, 우리의 소망이 이루어지리라 확신한다.

목수 딸의 혈루증 치유

어느 날, 선교센터에서 건물을 보수하는 일을 하던 목수가 나를 찾아왔다.

목수는 자신의 19세 된 딸이 2년 동안이나 혈루증을 앓고 있다고 말하는 것이었다. 그 목수는 자기 딸의 혈루증이 낫을 수 있도록 치유기도를 해달라고 내게 부탁했다.

목수의 딸을 불러서 그녀의 머리에 손을 얹고 기도했다.

순간, 내 팔을 통해서 강력한 성령의 힘이 그녀의 머리로 흘러 들어가는 것을 느꼈다. 그 자매는 눈물을 흘리며 울기 시작했다. 그날 저녁부터, 그 자매의 혈루증 증세가 멈췄다고 한다. 그 자매는 예수님으로부터 병 고침을 받은 것이었다.

그래서 그 목수는 나를 볼 때마다, 거듭 고맙다는 인사를 하곤 했다. 예수님은 고통받고 있는 그 자매를 정말 사랑하셨기에 고쳐 주셨다고 믿는다.

혈루증에 걸린 목수의 딸처럼, 우리도 삶 가운데 영적으로나 육체적으로 문제가 있을 때, 바로 예수님 앞에 나아가 고침을 받아야만 한다.

"이에 열두 해를 혈루증으로 앓는 중에 아무에게도 고침을 받지 못하던 여자가 예수의 뒤로 와서 그의 옷 가에 손을 대어 혈루증이 즉시 그쳤더라."(눅 8:43~44)

예수님은 우리의 '육체의 질병'과 '마음의 질병'에 대해 판단하지 않으신다. 이미 알고 계시기에 예수님 앞에만 나아가 무릎을 꿇고 기도한다면 들어주신다. 예수님은 언제나 우리를 사랑과 자비와 긍휼의 마음으로 바라보시기 때문이다.

그러나 어떤 사람들은 자신의 문제를 세상적인 방법으로 해결하려고 노력한다. 세상적인 방법만을 가지고 문제를 해결하려고 하면 할수록, 그들의 능력에는 그 한계가 있다.

그러므로 우리 스스로 세상적인 방법으로 문제를 풀기보다는 예수님 앞에 나가야만 한다. 예수님은 이 땅에 우리를 사랑하시기 위해 오셨다. 예수님은 우리가 문제를 안고 나아갈 때, 전인격적으로 치유해 주신다고, 나는 확신한다.

지팡이를 내려놓은 관절염 환자

"베드로가 이르되 은과 금은 내게 없거니와 내게 있는 이것을 네게 주노니 나사렛 예수 그리스도의 이름으로 일어나 걸으라 하고."(행 3:6)

사도 베드로는 성전 문 앞에서 구걸하는 앉은뱅이를 만나 예수님의 이름으로 일으켜 세웠다. 그러자 앉은뱅이는 걷기도 하고, 뛰기도 하며, 하나님을 찬송했다고 한다.

YMCA 탄자니아 도도마 지부에서 근무하던 현지인 여직원을 알게 되었다. 그녀는 무릎 관절에 문제가 생겨서 목발을 짚고 다녔다.

어느 날, 그녀는 선교센터에 찾아왔다. 그녀는 자신의 무릎 관절이 좋지 않아서 지팡이를 짚고 다녀야만 했다. 뚱뚱한 몸의 체중이 무릎 관절에 나쁜 영향을 주고 있었다.

나는 그녀에게 한번 안수기도를 받아보지 않겠느냐고 물었다. 그러자 그녀는 쾌히 승낙했고, 그녀 머리 위에 손을 얹고 기도하기 시작했다. 30분 정도의 시간이 흘렀을까?

갑자기 그녀는 눈물을 흘리기 시작했다. 그녀의 마음속에 성령의 위로하심이 있었나 보다. 나는 그녀에게 자리에서 일어서서 걸어보라고 했다. 그녀는 깜짝 놀라는 표정으로 "정말, 지팡이 없이도 걸을 수 있을까요?"라며 내게 반문하는 것이었다.

나는 **"예수님이 힘을 주실 겁니다."**라며 그녀를 안심시켰다. 그러자 그녀는 자리에서 벌떡 일어서더니 걷기 시작하는 것이 아닌가?

나 역시 놀라웠다. 그녀를 위해 기도할 때, 그녀의 몸이 워낙 거구였기에 다소 불안감도 있었다. 그러나 성령께서 내 마음에 불안감을 사라지게 하셨다. 그녀는 너무나 기뻐하며 연신 내게 고맙다는 인사를 했다.

그런데 어느 날, 한동안 소식이 없었던 그녀로부터 연락이 왔다. 그동안 지팡이 없이 잘 걸어 다니다가 어느 날, 관절에 통증이 왔단다. 그래서 탄자니아 수도 다르에스살렘에 있는 국립병원에 가서 치료를 받아야겠다고 생각했단다.

국립병원에 검사 예약을 하고, 진료일에 병원에 가기 위해 도도마에서 다르에스살렘행 버스에 탑승해서 가는 중이었다고 한다.

갑자기 그녀의 귓가에 **"예수 아나쿠펜다 싸나.(Yesu anakupenda sana! 예수님은 당신을 정말로 사랑해요.)"**라는 내 기도의 음성이 들리더란다.

그녀는 자신의 연약한 믿음을 자책하며, 가는 도중에 버스에서 내려 다시 집으로 돌아왔단다. 그녀는 오직 예수님께 기도로 치유 받기로 결심했단다. 그 소식을 마지막으로 더 이상 그녀에 대한 소식을 듣지는 못했다.

한 자매의 억울한 죽음

어느 날 도도마 감리교회 교인이 내게 상담을 요청해 왔다.

그의 누이가 심한 질병으로 아파서 누워있는데, 내게 안수 기도를 부탁하는 것이었다.

자초지종을 들어보니, 그의 누이가 병원에서 맹장 수술을 한 이후로 몸 상태가 안 좋단다. 나는 자동차로 1시간 정도를 달려가 그 자매의 집에 도착했다. 그 자매의 시골집은 손으로 빚은 진흙 벽돌로 쌓아서 건축한 집이었다.

마른 갈대 잎을 엮어서 지붕을 얹었다. 방바닥은 모두 진흙 바닥이었고, 그 위에 갈대 돗자리를 깔아 놓고, 생활하고 있었다. 물론 시골이라 전기가 없어 집안이 모두 캄캄했다.

집안에 들어가기 전, 집 밖, 평상에 앉아 아픈 자매를 생각하며 잠시 기도했다. 갑자기 슬픔이 북받쳐올라 그만 눈물을 쏟고 말았다.

슬픔의 영이 내 마음속에 계속 밀려왔다. 나는 그녀의 죽음에 대한 슬픔이 아닐까 생각했다. 캄캄한 어두운 방 안으로 들어가니 돗자리 위에 그 자매가 누워있었다.

그녀의 몸 위에 손을 대고 큰소리로 치유기도를 하기 시작했다. 또다시 슬픔의 영이 내 마음속에 밀려들어오자 많은 눈물을 쏟고 말았다.

치유기도를 모두 마치고, 가족들과 많은 이야기를 나누었다. 자초지종을 들어보니, 그 자매가 얼마 전에 도도마 도립병원에서 맹장 수술을 받았단다. 수술 후, 상태가 안 좋아 몇 번이나 담당 의사를 찾아갔었지만, 별 문제가 없다는 말만 들었단다. 할 수 없이 다른 병원에서 다시 진단을 받아보니, 수술했던 맹장이 터져서 다시 수술을 해야 하는 상황이었단다.

수차례 담당 의사를 찾아가 애원하며 재수술을 요구했지만, 묵살당했다고 한다. 담당 의사는 자신이 수술을 잘못한 것에 대한 사과보다는 오히려 환자의 잘못으로 나무랐다고 한다.

다시 수술을 받으려면 수술비를 더 내라고 했단다. 그러다가 재수술을 할 수 있는 시간을 놓쳐버렸단다. 내가 치유기도를 해준 이후로는 다소 호전되어 식사도 하게 되었다는 소식을 들었다.

얼마 후, 캐나다에서 온 단기 선교팀과 함께 부흥회를 하기 위해 티나이교회를 방문했었다. 그런데 저녁 무렵, 티나이교회 교인들이 장례식에 문상을 간다고 나서는 것이 아닌가?

물어보니, 바로 내가 기도해 주었던 그 자매의 장례식이었다. 이미 하늘나라로 갔던 것이었다. 회복되는 듯했으나 바로 중태에 빠져 더 이상 손을 쓸 틈이 없었단다.

내 마음은 허탈했다. 하나님께 기도하며, 그 자매가 왜 그렇게 빨리 하늘나라에 갈 수밖에 없었는지 반문하기도 했다.

성령의 불이 임하다

"홀연히 하늘로부터 급하고 강한 바람 같은 소리가 있어 그들이 앉은 온 집에 가득하며 마치 불의 혀처럼 갈라지는 것들이 그들에게 보여 각 사람 위에 하나씩 임하여 있더니."(행 2:2~3)

오순절 날, 예수님의 제자들이 한 자리에 모였을 때, 제자들에게 강력한 성령의 불이 임함으로써 권능을 받고, 땅 끝까지 이르러 예수님의 증인들이 되었다.

지금도 많은 그리스도인들이 예수님의 제자들처럼 '성령의 불'을 받는 경우가 있다. 성령의 불을 받게 되면, 제자들처럼 땅 끝까지 복음을 증거하는 제자가 되는 것이다.

도도마 감리교회를 개척한 이후, 나는 귀신 들려 고통받고 있는 교인들과 질병에 걸린 교인들을 위해서 날마다 안수기도를 해주었다. 선교센터에서 일하고 있는 할머니 역시, 종종 귀신에 잘 들리곤 했다. 그럴 때마다, 그녀를 위해 귀신을 쫓는 대적기도를 해주곤 했다.

그녀는 무슬림 남편으로 인해 에이즈에 감염되었고, 심지어 폭력에 시달렸다. 하는 수없이 집을 뛰쳐나왔는데, 협력 선교사의 도움으로 선교센터에서 일하게 된 것이었다.

매일 교회 교인들을 위해 열심히 안수기도를 해주었다. 그런데 너무나 많은 안수기도를 해주다 보니, 나의 영적 건강에도 문제가 생기기 시작했다. 점차 나의 영과 육이 탈진되면서, 더 이상 안수기도를 할 수 없는 지경까지 이르렀다.

나 역시 속으로 "아! 이제는 더 이상 선교를 할 수 없겠구나. 탄자니아를 떠나야만 하나?"라는 불안감을 느꼈다.

어느 날, 저녁 식사를 마치고 8시부터 하나님께 울부짖으며 큰소리로 방언 기도를 하기 시작했다. 어느덧 밤 12시를 넘겼다. 온 전신은 땀으로 뒤범벅이 되었고, 더 이상 기도할 기운조차 없었다.

그렇게 기도를 마치고 잠자리에 들었는데, 온몸이 뜨거워지기 시작하더니 도무지 잠을 이룰 수가 없었다. 거의 밤을 꼬

박 지새웠다. 밤새 내 몸에 성령의 불이 임한 것이었다.

겨우 새벽녘에 잠시 곤한 잠에 빠졌다. 아침에 일어나 보니 온몸이 씻은 듯이 개운한 느낌이었다. 온몸에 성령 충만한 기운이 넘치는 것을 느낄 수가 있었다. 교인들을 위해 다시 안수기도를 하기 시작했다.

예전보다 더욱 강력한 치유의 역사가 일어났다. 밤새 하나님은 나를 뜨거운 성령의 불로 치유해 주셨던 것이다. 너무나 감사한 마음에 절로 눈물을 흘렸다.

Chapter 4 함께 이루는 하나님의 뜻

- · 스와힐리어 언어 연수
- · 힘들었던 모로고로 생활
- · 현지 선교단체를 설립하다
- · 최남단 선교지를 찾아가다

"홀연히 하늘로부터 급하고 강한 바람 같은 소리가 있어 그들이 앉은 온 집에 가득하며 마치 불의 혀처럼 갈라지는 것들이 그들에게 보여 각 사람 위에 하나씩 임하여 있더니."(행 2:2~3)

1. 스와힐리어 언어 연수

우리는 스와힐리어를 배우기 위해 도도마를 떠나 루터란어학원이 있는 모로고로에 이사하기로 결정했다.

모로고로는 지난해 언어 연수를 했던 곳으로, 탄자니아에서도 유명한 울루구루산(해발 2,630미터)이 있다.

사실 스와힐리어 언어연수는 지난해 선교훈련 당시, 모로고로 루터란어학원에서 고작 2개월 배운 것이 전부였다.

탄자니아에서 사역하고 계시는 대부분의 한인 선교사들은 1년간의 언어 연수를 마쳤다고 한다. 그래야 어느 정도 선교 사역이 가능하다고 한다.

우리는 보다 나은 하나님의 일을 하기 위해 당분간 언어 연수에 집중하기로 했다. 스와힐리어 연수와 동시에, 한인 선교사들의 선교 사역지를 둘러보며, 그들이 하고 있는 선교사역들을 간접적으로 경험할 수가 있었다.

또한 루터란언어학원에서 알게 된 미국인 선교사 부부와 함께 모로고로 지역의 시골교회들을 두루 방문함으로써, 현지인교회의 예배를 직접 체험할 수가 있었다.

도도마 선교센터를 떠나다

도도마 선교센터에서 선교사역을 시작한 지도 어느덧 3개월이란 시간이 흘렀다.

그동안 도도마 감리교회와 유치원을 운영하는데 바쁜 하루하루를 보내면서도, 어딘지 모르게 우리의 선교사역에 부족함을 느끼기 시작했다.

탄자니아 현지인들을 대상으로 선교사역을 하다 보니, 현지 언어인 스와힐리어에 능통해야만 진정한 의사소통이 가능했다. 사실 예수님의 사랑만을 품고, 성령 충만함으로 그들과 진실된 교제를 갖는다는 것은 그 한계가 있었다.

우리의 스와힐리어 언어 수준으로는 현지인들에게 하나님의 말씀을 전하고, 서로가 막힘없는 의사소통을 하기에는 부족한 수준이었다. 만약 선교사역 초기에 스와힐리어 연수에 집중하지 않는다면, 앞으로 우리가 기대하는 선교의 열매를 맺을 수가 없을 것만 같았다.

우리가 언어 연수를 하는 동안, 감리교회는 프레디 전도사가 맡아서 예배를 인도하기로 했다. 유치원 역시 마르셀리나 무쉬 원장이 형편이 어려운 가운데에서도 잘 운영해 왔듯이 그녀가 책임지고 맡기로 했다.

비록 3개월이라는 짧은 기간 동안의 만남이었지만, 교회 교인들과 유치원 선생님들, 그리고 선교센터 식구들과 많은 정이 들었던지 모두들 아쉬워했다. 그동안, 우리를 잘 따랐던 아이들도 눈물을 글썽이며 못내 아쉬워하는 모습을 잊을 수가 없다. 특히, 전도사 셋째 딸 수잔나는 엄마한테 울먹이며, "왜, 목사님 부부가 떠나야 해. 안 가면 안 돼."라며 조르는 것이었다. 지금쯤 결혼해서 아이들을 두고 있을 것이다.

우리의 이삿짐이라고 해봐야 여행용 가방 4개와 핸드 캐리 2개, 그리고 배낭이 전부였다. 다행히 프레디 전도사가 이삿짐을 도도마 버스터미널까지 운반해 주었고, 배웅까지 해주었다.

그런데 프레디 전도사가 모로고로행 완행 버스표를 끊는 바람에 통상 4시간 반이면 도착할 수 있는 거리를 무려 10시간이나 걸려 오후 늦게 모로고로에 도착했다.

모로고로에 도착하자, 마중 나왔던 한인 선교사가 우리의 이삿짐을 차로 옮겨주었다. 우리는 이곳 모로고로에 도착해서 한인 선교사들의 따뜻한 배려로 모든 짐정리가 끝나고, 본격적인 모로고로 생활을 시작하게 되었다.

모로고로에 정착하다

우리는 모로고로에 도착하자 한인 선교사들의 도움으로 여러 곳을 다니면서 거주할 주택들을 알아보았다.

사실 우리가 안전하게 거주할 수 있는 깨끗한 주택을 임차하기란 쉽지 않았다. 대부분 현지인들의 주택에는 울타리가 없었기 때문이었다.

결국 울루구루산 바로 아래에 위치한, 이제 막 건축이 끝나가는 인도인 소유의 주택을 1년간 임차하였다. 집주인인 인도인은 모로고로 시내에서 가전제품 매장을 운영하고 있는 아주 부유한 집안이었다. 우리는 1년간의 임차료를 지불하기로 하고, 임차계약을 마쳤다.

도도마 바클레이은행에 예금해 두었던 달러를 찾으려고 보니, 현지 화폐인 탄자니아 실링으로 이미 환전해서 예금되어 있었다. 도도마 바클레이은행 지점장에게 따져 물었더니, 그는 우리가 바로 탄자니아 실링을 사용하기 편하게 미리 환전해 두었단다. 그 지점장은 달러 환전으로 인한 수익을 챙긴 것이었다. 참으로 어처구니가 없는 처사였다.

임대인인 인도인이 임차료를 미국 달러로 요구했다.

하는 수 없이 도도마 바클레이은행에서 탄자니아 실링을 다시 미국 달러로 환전하다 보니 환차손이 발생하고 말았다.

그렇게 해서 인도인 주택에 입주하게 되었다. 주택이 바로 울루구루산 밑이다 보니, 집 마당에는 고슴도치, 뱀, 원숭이, 너구리, 지네, 도마뱀, 큰 쥐 등, 온갖 야생동물들이 낮과 밤에 집 앞마당을 돌아다녔다.

특히 밤에 전기가 끊기는 날이면, 반딧불이들이 열린 창문으로 반짝거리며, 일렬로 집안으로 날아 들어오기도 했다.

앞마당에는 망고나무가 있어, 매일 낮에 20여 마리의 작은 원숭이들이 와서 망고를 따먹으며 신나게 놀다 가기도 했다.

본격적인 스와힐리어 언어 연수

모로고로로 이사 온 지 한 달 후, 루터란어학원에서 스와힐리어 공부를 시작했다.

오전에는 집에서 현지인 자매한테서 개인지도를 받고, 오후에는 루터란어학원에 가서 배웠다. 이미 지난해, 루터란어학원에서 2개월 동안, 스와힐리어를 배웠던 경험이 있었던 탓인지, 그다지 낯설지가 않았다. 온종일 스와힐리어 공부에만 집중하다 보니 실력이 부쩍 늘었다.

모로고로 루터란어학원에서 언어 연수를 하는 동안, 골칫거리였던 비자 문제가 해결되었다. 6개월 간의 학원 비자를 발급받을 수가 있었다. 이후에도 계속해서 거주 비자를 받기 위해 많은 어려움을 겪었다.

루터란어학원에 출근할 때마다, 시내버스 정류장을 가기 위해 시골길을 따라 40분 정도 걷는다. 걸어가는 길에 9홀 퍼블릭 골프장이 있다. 골프를 치는 현지인들의 모습을 보면, 예전에 내가 열심히 골프장을 다녔던 기억이 떠올랐다.

시내에 도착해서 '달라달라' 버스를 타면, 보통 20분 정도 걸려 루터란어학원에 도착한다. 그런데 승객들이 차 안에 빽빽이 들어찰 때까지 30분 내지 1시간을 정류장에서 기다려야만 했다. 차 안에서 기다리는 동안, 짐뿐만 아니라, 염소와 닭까지 잔뜩 싣는다.

그러다 보니 차를 타는 시간보다 기다리는 시간이 더 길다. 자주 오가다 보니, 만나는 버스 운전사와 차장들은 우리를 "주니어 세미나리!"(어학원 앞 정류장 이름)라고 불렀다.

한 번은 차 안에서 출발하기만을 기다리고 있었는데, 한 맛사이족 청년이 창밖에서 "이 차가 미케세 갑니까?"라며 우리에게 물었다. "간다."라고 대답하니, 그가 신기한 듯 미소를 지었다. 아마도 그 맛사이 청년은 차 앞에 붙여 놓은 행선지 표지판을 읽지 못했던 것 같다.

모로고로 시골교회 탐방
루바야교회 탐방

우리는 모로고로 루터란어학원에서 미국인 로버트 선교사 부부를 알게 되었다.

두 분 모두 참으로 친절하고 다정한 분들이었다. 이들 부부는 맛사이 마을에 부족한 물을 공급하기 위해 우물과 수동식 펌프를 설치해 주고 있었다. 우리는 로버트 선교사의 안내로 맛사이족이 살고 있는 마을의 루바야교회를 처음 방문했다.

모로고로에서 자동차로 약 1시간 반 거리에 있는 시골 마을이었다. 교인들이 직접 만든 진흙 벽돌로 세운 교회는 출입문과 창문이 없었다. 예배당 바닥은 완전 진흙 바닥이었다. 마을 주변 곳곳에 흩어져 살고 있는 약 100명의 교인들이 주일예배를 드리기 위해 2시간 이상 걸어온다.

대부분의 맛사이들은 자신들이 키우고 있는 소의 젖을 짜는 시간이 오전이기에 그 일을 다 끝낸 뒤, 낮 12시경에 예배에 참석한다. 주일예배는 맛사이 전통 옷과 갖가지 장식을 머리부터 발까지 두른 찬양팀의 요란한 입장으로 시작된다. 미국인 선교사 하퍼만 목사가 예배를 집도했다.

그는 20대 젊은 나이에 탄자니아에 선교사로 와서 50여 년간 선교사역을 하고 있었다. 탄자니아에서 존경받는 외국인 선교사들 중의 한 사람이다. 그는 직접 맛사이 교인들을 위해 세례식을 집도했다.

주변 마을의 교회에서 온 교인들이 세례를 받았고, 아기들은 부모 품에 안겨서 유아 세례를 받았다. 서너 살 된 꼬마들이 자기 이름을 부를 때마다, 목사 앞에 나와 무릎 꿇고, 세례를 받는 모습을 보니 마음이 찡할 정도로 은혜로웠다.

이 마을에 있는 학교들은 배우고자 하는 아이들의 수에 비해서 여전히 부족하고, 시설도 열악하다. 그나마 이곳에는 유치원부터 고등학교까지 운영되고 있었다.

우리는 가는 곳마다, 유치원 교사로 헌신하고, 동역할 현지인을 눈여겨보고 있었다. 이 날, 우리 눈에 뜨였던 '우펜도'라는 중학교 1학년 여학생이 있었다. 키가 무려 190센티미터나 돼 보였다.

14살인 우펜도는 부모들이 강제로 결혼시키려 하자, 집을 뛰쳐나와 이곳 외할머니 댁에서 중학교에 다니고 있었다. 우리는 우펜도에게 학비를 지원해 주고, 중학교 4학년 졸업을 하게 되면, 맛사이 마을의 유치원 교사로 활동할 의사가 있는지 상담하기도 했다.

루캉가지교회 탐방

유난히 조용하게 느껴지는 이 마을의 루캉가지교회는 언덕 위에 하얀 집처럼 아담하게 자리 잡고 있었다.

이 날, 주일예배 중에 세례식, 입교식, 성만찬, 그리고 결혼식까지 정오 12시에 시작한 예배는 오후 4시가 되어서야 겨우 끝났다. 주일예배 인도는 현지인 무임배 목사가 집도하였는데, 목회자가 부족해서 혼자 맛사이 마을을 포함하여 14개 마을의 교회를 담당하고 있었다.

성만찬 때에 목사가 내게 도움을 청하는 바람에 함께 인도하기도 했다. 주일예배 후, 결혼한 신랑 신부의 집에 들러 마을 잔치에 참석해서 하객들과 함께 춤도 추며 즐거운 시간을 보낸 후, 귀가했다.

이 날, 결혼식에서 우리와 동역할 유치원 교사가 눈에 뜨였는데, 축가를 부르기 위해 참석한 중창단 중의 한 자매였다.

그 자매는 '에스더'라 불리는 19세 된 자매였다. 중창단의 리더 싱어로 성격이 매우 밝았고, 중창단 지휘자가 바로 그녀의 아버지였다. 그녀의 부친 역시 교회 장로로서 매우 활동적인 사람이었다.

우리는 에스더에게 유치원 교사로 사역할 의사가 있는지 제안하자, 그녀로부터 함께 하고 싶다는 답을 받았다. 그녀의 아버지도 흔쾌히 승낙했다. 그 후, 성탄절에 그녀의 집을 방문해서 그녀의 부모들과 함께 앞으로의 계획에 대해 이야기를 나누었다.

그래서 그녀를 루터란교단 소속의 유치원 교사양성과정에 입학시키기로 약속했다. 물론 교사 양성과정의 등록금과 생활비, 심지어 학생복과 신발 구입까지 모두 지원했다.

2. 힘들었던 모로고로 생활

모로고로에서 스와힐리어 연수를 하는 동안, 우리는 선교 사역의 방향과 진로를 두고 매일 기도하고 있었다.

도도마에서 시작했던 선교사역은 협력 선교사에게 모두 일임하고, 모로고로에서 다시 시작할 계획을 가지고 있었다. 우리는 어떤 선교사역을 할지를 두고 고민하면서, 모로고로 한인 선교사들이 하고 있는 사역들을 둘러보았다.

울루구루산 밑에 있는 달동네를 자주 방문해서 고아원이나 유치원을 운영할 수 있는지도 알아보았다.

처음 탄자니아에 도착해서 자비량 선교를 계속하기 위해 소유하고 있던 부동산을 매각하려 했으나 할 수가 없었다. 더 이상 자비량 선교를 지속하기가 어려운 상황이었다.

설상가상으로 탄자니아에 오기 전에 보냈던 컨테이너 물건 중 상당수 물건들을 탄자니아 항구에서 분실하고 말았다.

더구나 모로고로에 있는 동안, 어린이 교통사고와 죽음에 이르는 파상풍까지 걸리는 고난의 시간들이었다.

자비량 선교의 무산

"나의 등 뒤에서 나를 도우시는 주 나의 인생 길에서 지치고 곤하여 매일처럼 주저앉고 싶을 때 나를 밀어 주시네 일어나 걸어라 내가 새 힘을 주리니 일어나 너 걸어라 내 너를 도우리."

너무나 힘들고 어려울 때, 한국의 어느 교회 기도원의 예배당 맨 앞 줄에서 무릎을 꿇고 기도하던 중, 바로 "나의 등 뒤에서"라는 찬송가가 들려왔다.

갑자기 성령께서 내게, **"내가 네게 힘을 주리니 힘을 내거라!"** 라는 말씀을 주셨다. 나는 한없이 눈물만 쏟았다.

나는 그저 "감사합니다."라는 말만 되풀이했다. 우리가 선교사 파송받은 이후, 처음엔 소속교회에서 매달 일정 금액의 생활비 일부를 보내왔다. 도도마에서 거주할 당시, 얼마간의 생활에 보탬이 되었다. 그런데 모로고로에서 언어 연수를 하는 동안, 소속교회의 선교비 후원마저 끊기고 말았다.

탄자니아에 오기 전, 나는 국민연금과 연금보험 등을 모두 해약하고, 심지어 결혼 패물마저 매각하였다. 그리고 소유 아파트와 토지도 매각하려고 했으나, 갑자기 미국 부동산 버블로 인해 국내 부동산 경기가 침체되는 바람에 매각할 수가 없었다.

할 수없이 국내은행에서 카드 대출을 받기 시작했고, 매달

은행 이자를 지불해야만 했다. 심지어 이곳저곳에서 생활비를 빌려 사용하기도 했다.

더구나 울산 중견기업에서 직장생활을 하고 있던 큰 아들마저, 갑자기 직장에 사표를 내고, 서울로 상경하고 말았다. 아마도 직장 생활에 적응하지 못했던 것 같았다.

이때가 모로고로에서 3년 반을 생활하면서 가장 어려웠던 시기였다. 너무나 힘든 가운데 나는 하나님께 "왜 자비량 선교의 길을 막으시는지요?"라며 여쭈었다.

그러자 성령께서 내게 **"선교는 네가 가지고 있는 물질로 하는 것이 아니라, 내가 너에게 주는 물질로 하는 것이다."**라는 응답을 주셨다. 하나님의 뜻을 알고 난 이후, 더 이상 자비량 선교를 위한 기도는 하지 않았다.

그나마 고향에 계신 부친께서 내 소유 전답 임대료나 아니면 일부 부동산 매각 대금을 종종 보내주셨다. 얼마간은 일부 부동산 매각 대금으로 근근이 버틸 수가 있었다.

부친께서 걱정이 되셨는지, 하루빨리 내가 한국으로 빨리 귀국해서 안락한 노후를 위해 다시 직장생활을 시작하길 바라셨다. 그 당시, 내 삶 속에서 선교사의 길을 걷는다는 것이 얼마나 힘들고 어려운 일인지를 뼈저리게 느꼈다.

돌이켜보면, 수많은 어려움을 겪지 않고서, 결코 하나님의 뜻을 이룰 수가 없다는 사실을 비로소 깨닫게 되었다.

잃어버린 컨테이너 물건들

탄자니아에 도착하자마자, 바로 한인 선교사의 소개로 현지인 에이전트에게 컨테이너 통관에 따른 모든 일들을 믿고 맡겼었다.

3개월 후, 에이전트로부터 컨테이너가 탄자니아 항구에 도착했다는 연락을 받았다. 나는 컨테이너 수령을 위해 함께 임차했던 모로고로 한인 선교사와 함께 다르에스살렘 항구로 갔다.

컨테이너가 적재된 항구 앞에서 오랜 시간을 기다려도 컨테이너가 밖으로 나오질 않는 것이었다. 3시간 정도를 기다리자, 컨테이너가 항구에서 나오는 것이 아니라 시내 쪽에서 오는 것이 아닌가?

참으로 이상하다고 생각했지만, 현지인 에이전트를 믿고 맡겼기에 의심하지 않고, 물건을 운송차량에 옮겨 싣기 위해 컨테이너 문을 열었다. 그 순간, 컨테이너 맨 뒤편에 실었던 자전거 3대와 일부 박스들이 보이지 않았다. 너무나 많은 물건들이 없어진 것이었다.

그나마 다행스러웠던 것은 부곡장로교회에서 탄자니아 신생아들을 위한 담요와 가재수건, 의약품, 중고 옷가지, 동화책, 각종 어린이 놀이용품 등등, 많은 선교 구제품들은 그대로 있었다. 팔아서 돈이 되는 물건들만 사라진 것이었다.

나는 현지인 에이전트에게 왜 우리의 물건들이 없어졌는지 따져 물었더니, 컨테이너가 항구에 도착했을 때, 세관원들과 함께 검사할 당시의 물건, 그대로라는 것이었다. 아마도 한국 항구에서 물건들이 분실됐을 것 같다는 이야기를 하는 것이 아닌가?

나는 더 이상 할 말을 잃었다. 왜냐하면 컨테이너가 항구에 도착했을 당시, 에이전트는 우리에게 세관원과 함께 적재할 물건들을 검사하자는 연락을 해왔다.

그러나 협력 선교사와 모로고로 한인 선교사는 에이전트가 모든 책임을 지고, 세관원과 함께 검사하기 때문에, 굳이 우리가 직접 컨테이너 검사에 동행할 필요가 없다는 것이었다.

결국 물건이 없어졌어도, 내가 직접 컨테이너 검사 현장에 없었던 탓에 더 이상 에이전트에게 할 말이 없었다. 뒤늦게 확인해 보니, 바로 에이전트가 항구에서 우리 허락 없이 세관원과 경비원들과 짜고 컨테이너를 밖으로 빼돌린 후, 컨테이너 안에 있던 값진 물건들을 훔친 것이었다.

에이전트가 컨테이너에 적재한 물품 리스트를 가지고 있었으니 하나하나 확인해 가며, 돈 되는 물품들만 모두 빼돌린 것이었다. 결국 경찰서에 신고했지만 큰 기대는 하지 않았다. 너무나 힘든 마음에 하나님께 기도하는 가운데 성령께서 내게 말씀을 주셨다.

"선교는 물질로 하는 것이 아니라 하나님의 말씀으로 하는 것이다!"

그동안 너무나 분했던 마음이 한순간에 눈 녹듯이 모두 사라지고 말았다. 그리곤 더 이상 잃어버린 컨테이너 물건에 대해서 아쉬운 미련을 갖지 않게 되었다.

무슬림 어린이의 교통사고

2010년 2월 7일 오전 9시, 주일예배 설교를 위해 아침 일찍 한인 선교사가 운영하는 모로고로 미케세 루분고농장을 향해 출발했다.

내 차에는 기아대책 단기 선교사 부부가 함께 탑승했다.

10년 된 중고 일제 승합차 노아를 매입해서 운전한 지, 일주일도 채 되지 않았다. 탄자니아 도로는 2차선으로 비좁은 데다, 도로 양옆으로는 사람들과 자전거, 오토바이, 달구지 등의 왕래가 많아서 언제나 사고 위험이 높다. 출발해서 한 30분쯤 지났을까?

미케세라는 동네로 막 진입하는데, 길 왼쪽에 두 어린이가 손을 꼭 잡고 서 있는 것을 보았다. 순간 키가 작은 아이가 잡고 있던 친구의 손을 뿌리치면서, 반대편 차선만 바라보며 차가 오지 않자, 내 차 앞으로 무작정 뛰어들었다.

순간적으로 나는, 그 아이와의 정면충돌을 피하기 위해 반

대편 차선 쪽으로 핸들을 틀었다. 너무나 갑작스러운 일이라 브레이크를 밟을 겨를도 없었다. 그러자 아이가 내 차의 왼쪽 모서리에 부딪히면서 '쿵!'하고 도로 아래쪽으로 튕겨져 나갔다. 너무나도 큰 충돌 소리에 그 아이가 즉사했을 것만 같다는 생각이 들었다.

얼른 차를 세우고 나서, **"하나님, 만약 이 아이가 죽는다면 저는 더 이상 탄자니아에서 선교할 수가 없습니다. 부디 아이 목숨만은 살려만 주세요!"** 라고 애원하며 기도했다.

차에서 내리자마자, 20미터 뒤에 아이가 떨어진 곳을 향해 마구 뛰어갔다. 그런데 놀랍게도, 도로 옆에서 아이가 앉아서 울고 있는 것이 아닌가? 얼른, 아이 몸의 이곳저곳을 살펴보니 다친 곳이 없었다.

정말 기적과 같은 일이었다. 그런데 아이를 들어 올려 안고서 마을을 향해 뛰어가는데, 아이의 왼쪽 다리가 흔들리는 것이 아닌가?

직감적으로 아이의 정강이 뼈가 부러졌다는 사실을 알았다. 동네에 도착하자마자, 나는 아이의 부모를 불렀고, 큰 칼을 빌려 야자수 나무를 잘라 부목을 만든 후, 내 손수건을 찢어서 아이의 왼쪽 정강이에 붙들어 맸다.

뒤이어 도착한 한인 선교사의 운전수에게 아이를 모로고로 도립병원에 입원시키도록 부탁했다. 그러고 나서 바로 미카

세 경찰서에 자진 출두하여 교통사고 신고를 하자, 현장 조사와 함께 진술조서를 작성했다. 다친 아이 부모에게 아들의 모든 병원 치료를 책임지기로 약속했다.

결국 주일예배 설교도 하지 못한 채, 아이를 만나러 모로고로 도립병원에서 갔더니, 이미 다리에 깁스를 한 상태였다. 다음날, 병원에서 아이의 퇴원 수속을 끝내고, 집에까지 바래 다주었다. 그 아이의 부모는 모두 무슬림이었으며 아이의 이름은 사이디였다.

한국에 다녀온 후, 깁스를 풀고 다리가 온전히 회복되었다. 그런데 아이가 걸을 때마다, 오른쪽 다리를 약간씩 절뚝거리는 게 아닌가? 오른쪽 다리의 신경에 문제가 발생한 것이었다.

병원에서 진찰을 해보니 간호사가 진통제 주사를 놓을 때마다, 엉덩이 오른쪽에만 놓다 보니, 신경계통에 문제가 발생한 것이었다. 물론 병원 담당 의사도 이 사실을 모두 인정했다. 그래서 재활훈련이 필요했는데, 무려 1년 동안 병원에 통근치료를 받을 때마다, 내가 데리고 다녔다.

물론 아이의 부모들을 만날 때마다, 가족 모두에게 안수기도를 해주었다. 또한 아이의 학교 장학금도 지원을 해주었다. 우리가 송게아로 이사 온 후에도, 아이가 초등학교 졸업할 때까지 매년 학비와 학용품 등을 지원해 주었다.

하나님은 그 아이의 치료를 통해 우리에게 섬김이 무엇인 지를 가르쳐 주셨다. 동시에 그 무슬림 가정에 복음을 전하 도록 인도하셨던 것이다.

죽음의 문턱에 이르게 한 파상풍

모로고로로 이사 온 지 한 달 여가 지났을 때였다.

임차한 주택의 울타리는 집 마당이 훤히 보이는 철망 펜스 로 둘러쳐져 있었다. 그러나 울타리가 너무나 허술한 탓에 집 경비를 위한 개를 키우기에 어려움이 있었다.

그래도 한인 선교사로부터 집 경비를 위한 개 두 마리를 분양받았다. 사실 탄자니아는 그 어느 곳을 가던지, 밤에는 안전한 곳이 없었다. 탄자니아 현지인들은 주택을 건축할 때, 건물 외벽에 야간 등을 설치해서 밤새 불을 켜 놓는다. 뿐만 아니라 경비원을 고용하거나 경비견을 키우기도 한다. 부자 들은 집의 담을 아주 높게 쌓아 가시철망을 두르고, 심지어 전기선까지 설치한다.

그러나 우리는 형편상 경비원을 고용하는 대신 개 두 마리 를 키우기로 했다. 그런데 집 울타리 철망 펜스를 부실하게 설치한 탓에 밤마다 개들이 철망을 뚫고 밖에 나가 밤새 돌 아다니다가 새벽녘이 되면, 집 대문 앞에 앉아있는 것이었다.

그래서 개들이 밖에 나갈 수 없도록 철망 울타리 밑에 시멘트 벽돌로 막거나, 아니면 철사로 단단히 고정시켰다. 자주 그런 일을 하다 보니 철망에 손을 찔리곤 했다.

그러던 어느 날 새벽 2시경, 갑자기 내 가슴 근육에 마비가 오면서 호흡하기가 힘들어졌다. 금방이라도 숨이 끊어질 듯, 헐떡이며 하나님께 기도했다.

"하나님, 저를 살려주세요!"

그러자 갑자기 나의 머릿속에 스치고 지나가는 물건 하나가 생각났다. 탄자니아에 오기 전, 어느 교회 목사 사모님이 선교지에 가면 꼭 필요한 물건이라며 주신 주혈기가 생각났다. 주혈기란 전기로 온도를 70도 이상 급히 올려서 몸의 아픈 부분에 갖다 문지르면, 침과 뜸의 동시 효과가 있는 기기였다.

아내가 급히 주혈기를 꺼내 소켓에 연결해서 가슴을 문지르기 시작하자, 굳었던 가슴 근육이 점점 풀리면서 겨우 숨을 쉴 수가 있었다. 잃을 뻔했던 목숨을 겨우 건진 것이었다. 나는 선교사로서 아직 해야 할 많은 일들이 남았다는 사실을 깨달았다.

3. 현지 선교단체를 설립하다

모로고로에 이사 온 후로 한인 선교사들과의 만남을 통해 우리는 선교사역에 관한 많은 간접 경험을 할 수가 있었다.

그 당시, 우리는 다시 도도마로 돌아가서 협력 선교사와 합력하기에는 다소 문제가 있었다. 왜냐하면 서로가 추구하고자 하는 선교 비전에 다소 차이가 있었기 때문이었다.

그런데 마침 모로고로 한인 선교사들이 우리와 함께 동역하고 싶다는 요청을 해왔다. 우리는 늦은 나이에 선교사로 부름을 받았기에 새로운 선교단체를 설립하기보다는 협력 선교사로서 함께 동역하고자 했다.

그래서 한인 선교사들이 어떻게 선교활동을 하고 있는지 사역지를 둘러보며, 주의 깊게 살펴보기도 했다. 매일 어느 선교사와 협력할 것인지를 놓고 기도하기 시작했다.

그러던 어느 날, 기도 가운데 탄자니아 현지 선교단체와 대학을 세우라는 소명을 받았다. 한 번도 생각해보지 않았던 선교 비전이었기에 그저 놀라울 뿐이었다.

Wesley Mission Tanzania를 세워라!

2010년 2월 1일 새벽 4시, 기도하던 중, 갑자기 성령께서 **"웨슬리 미션 탄자니아를 세워라!"**라는 음성을 들려주셨 다.

순간 나는 깜짝 놀랐다. 한 번도 탄자니아에 선교단체를 세우겠다는 생각한 적이 없었기 때문이었다. 그러나 하나님 은 우리가 탄자니아에 현지 선교단체를 설립할 것을 계획하 고 계셨던 것이다.

그래서 모로고로 한인 선교사들과 협력하려던 모든 계획을 취소하고, 오로지 하나님의 뜻에 따라 선교단체 설립을 준비 하기 시작했다.

본격적인 선교단체 설립을 위해 선교단체 정관을 작성하고, 현지인 창립 회원을 모집했다. 탄자니아 내무부에서는 선교 단체 설립에 필요한 갖가지 서류들을 요구했다. 그런데 인가 신청 서류 중에 탄자니아 내 시장 급 이상의 고위직 공무원 의 추천서를 받아야만 했다.

그러나 탄자니아에 온 지 얼마 되지 않았기에 아는 사람이 라 곤, 한인 선교사들 뿐이었다. 하는 수 없이 우리가 거주하 고 있는 모로고로 시장을 만나기로 했다. 막상 시장을 만나 고 보니 무슬림이었다.

나는 속으로 "이제 추천서 받기는 어렵겠구나!"라고 생각 했다. 그래도 시장에게 선교단체의 정관을 보여주며, 선교단체의 설립 목적과 필요성을 자세히 설명했다.

모로고로 시장은 듣는 둥, 마는 둥, 정관을 들추어 보더니, 우리 선교단체 회원으로 가입하고 싶다며, 회비 1천실링(한화 6백원)을 내게 주는 것이 아닌가?

우리를 비아냥거리는 모욕적인 행동이었다. 참고 인내하며, 시장에게 간절히 부탁하며 돌아왔다. 시장 추천서를 받을 것이라는 큰 기대는 하지 않았다. 얼마 후, 우여곡절 끝에 형식적인 내용일지라도, 어쨌든 시장의 추천서를 받은 후, 비로소 탄자니아 내무부에 선교단체 인가 신청을 모두 마쳤다.

내무부 담당 직원은 6개월 이내에 대통령 승인이 날 것이라고 우리에게 알려주었다.

탄자니아에 대학을 세워라!

탄자니아 내무부에 선교단체 인가 신청 후, 잠시 한국에 다녀오기로 했다.

향후 선교단체 인가가 날 경우를 대비해서 미리 선교단체 설립에 필요한 선교비를 준비해야 했기 때문이었다. 한국으로 출발하기 위해 다르에스살렘에 도착했다.

그런데 다르에스살렘에서 종합대학(UAUT)을 설립하고 있는 한인 선교사한테서 만나자는 연락을 받았다. 그 선교사는 다짜고짜 우리를 종합대학 건축 현장으로 데려갔다. 종합대학 건축 부지는 약 38만평으로 매입이 마무리되어 가는 중이었다.

대학 건축 현장에는 이미 한국에서 파송한 기술자 선교사들이 현지인 근로자들과 함께 한창 건축 중이었다.

우리는 그 선교사와 함께 호텔 해변가에서 차를 마시며 환담을 나누었다. 그런데 그 선교사가 다짜고짜 내게 종합대학 초대 총장직을 맡아달라고 부탁하는 것이 아닌가?

너무나 뜻밖의 제안이라 바로 거절할 수가 없어서 기도해보겠다고만 약속했다.

나는 새벽마다 **"하나님, 저는 총장직을 맡을 수가 없습니다. 능력이 부족합니다."**라며 기도했다.

이미 30년 가까운 조직생활을 했던 탓에 힘들고 어려운 조직생활을 더 이상 하고 싶지 않았다. 더구나 지금은 현지 선교단체 인가가 나기만을 기다리는 중이기도 했다. 한인 선교사는 내게 몇 번이나 연락을 해왔으나 수락하지 않자, 결국 한국에서 은퇴하신 대학 교수를 총장으로 초빙하고 말았다. 나는 안심하고 더 이상 총장직 임명에 관한 기도를 하지 않았다.

그런데 어느 날, 새벽 기도 중에 갑자기 내가 하나님께 "제가 대학을 세우겠습니다!"라는 기도를 하는 것이었다. 내 의도와는 달리 무의식적으로 대학 설립에 대한 기도를 하고 있는 것이 아닌가? 너무나 깜짝 놀랐다.

대학을 세우겠다는 기도는 단연코 내 의지가 아니었다. 결국 하나님은 대학 총장직을 맡지 않겠다는 내게, 탄자니아에 대학을 세우시기를 원하셨던 것이었다. 그래서 지금은 신학 대학 설립을 위한 준비를 하고 있다.

내게 능력 주시는 자 안에서

현지 선교단체의 인가 신청을 하고 나서, 6개월이 지났지만 탄자니아 내무부로부터 아무런 소식이 없었다.

하는 수 없이, 현지인 변호사에게 선교단체 인가가 날 수 있도록 도움을 청했다. 그러나 현지인 변호사조차 자신의 능력으로는 도저히 인가를 받을 수 없는 사안이라는 것이었다.

오히려 내게, 한국 대사관에 직접 부탁하는 것이 좋겠다는 그의 답이 왔다. 그 정도로 선교단체 설립 인가를 받을 수 없는 어려운 상황이었다.

혹시 누군가가 우리의 선교단체 설립을 방해하고 있는 것은 아닌지 의심을 갖기도 했다.

2010년 12월 말, 새벽에 깊은 잠을 자고 있던 내가, 갑자기 **"내게 능력 주시는 자안에서 내가 모든 것을 할 수 있느니라."(빌 4:13)**라는 말씀을 중얼거리고 있는 것이 아닌가?

깜짝 놀라 잠에서 깨고 말았다. 내 의지와는 무관하게 잠결에 계속해서 이 말씀을 되뇌고 있었던 것이었다.

다음 해 1월 3일, 온누리교회 CGNTV 방송을 시청하던 중, 미국 조지아주에서 사역하고 있는 젠센 프랭클린(Jentezen Franklin) 목사의 설교를 듣게 되었다.

설교 주제에 관한 성경 말씀은 바로 빌립보서 4장 13절이었다. 이 성경 말씀은 잠결에 내가 되뇌었던 바로 그 말씀이었다. 우연 치고는 너무나도 이상한 일이었다.

젠센 프랭클린 목사님은 다니엘의 금식기도에 관한 설교를 하시는 것이었다. 그러면서 자신도 매년 21일 금식기도를 한다는 것이었다. 설교를 듣고 있던 나는, 바로 21일 금식기도를 해야겠다는 결심을 했다.

다음 날부터 금식기도를 시작했는데, 일주일쯤 되었을 때, 모로고로 한인 선교사로부터 연락을 받았다. 우리 선교단체 인가를 도와줄 현지인 변호사를 소개하고 싶다는 것이었다.

너무나 반가운 마음에 비록 금식기도 중이었지만, 다르에스살렘에 가서 소개받은 변호사를 만났다. 그 변호사는 우리가 내무부에 제출했던 모든 자료의 복사를 요구했다. 우리는 당연히 그 변호사가 선교단체 인가 신청에 대한 내용을 파악하는 줄로만 알고, 신청서류의 복사를 허락했다.

며칠 후, 그 변호사로부터 선교단체 인가를 받을 수 없다는 연락을 받았다. 알고 보니, 그 변호사는 단지 모로고로 한인 선교사의 NGO단체 인가 신청을 위해 우리의 신청서류가 필요했을 뿐이었다. 현지인 변호사 소개를 미끼로 우리의 신청 서류를 복사하고자 했던 것이었다.

그 선교사는 바로 나와 함께 2009년에 컨테이너 운송을 함께 했던 선교사였다. 금식기도 중에 변호사를 만나기 위해 무더위 속에 다르에스살렘을 두 번이나 다녀왔고, 더구나 속 았던 내 기분이 풀리지 않자, 결국 21일 금식기도는 11일 만에 끝이 나고 말았다.

그런데 금식기도의 마지막 날, 새벽 기도 중에 성령께서 내게 대학을 세우라는 소명을 주셨다. 소명을 받은 나는 기쁨과 감사의 눈물을 흘렸다.

힘들었던 현지 선교단체 인가

2012년 1월 4일, 기독교 TV방송에서 브라질 소렌즈 (Sorenz) 목사의 설교를 듣던 중, 금식 기도를 다시 시작하겠다는 결심을 했다.

지난해, 21일 금식기도를 끝내지 못했기에, 이번 금식기도 기간 중에는 일체 외부와의 관계를 단절하기로 했다.

금식기도 중에 가장 힘들었던 것은, 금식을 시작한 지 2주쯤 지나자, 마시던 생수를 계속 토하는 것이었다. 더 이상 마실 물이 없어서 궁여지책으로 쌀 끓인 물을 마시고 나서야

위가 안정이 되고, 21일 금식기도를 마칠 수가 있었다.

금식기도가 끝난 후, 성령께서 탄자니아 입국 전에 사랑의 교회 한 장로님이 내게 알려주셨던 탄자니아 기독교인 국회의원 이름을 생각나게 해 주시는 것이 아닌가?

곧바로 탄자니아 국회 홈페이지에 들어갔더니, 그 국회의원 이름을 확인할 수가 있었다. 바로 이메일로 보내고 나서, 그 국회의원에게 다시 전화를 걸었다. 그런데 지금 막 모로고로 시내로 들어오고 있는 중이었다.

바로 가까운 커피숍에서 만나기로 약속하고 나갔더니, 다른 의원과 함께 들어왔다. 그 의원에게 선교단체 인가에 관련된 서류들을 보여주었다. 그러자 그는, 우리의 선교단체 인가를 받을 수 있도록 돕겠다고 약속했다.

한 달이 지나고 7개월이 다 되도록 그 국회의원은 도저히 자신의 능력으로는 선교단체 인가를 받을 수가 없다는 것이었다. 그래서 나는 생각하기를 혹시 하나님께서 내게 들려주신 '아프리카로 가라!'라는 음성이 환청이 아니었나 하는 의심마저 갖게 되었다.

나는 새벽마다 **"하나님. 이제 저희는 탄자니아를 떠나겠습니다."**라며 기도했다. 10월 말, 한국으로 귀국하는 항공권을 예약했고, 가지고 있던 각종 생활용품과 선교물품들을 모로고로 한인 선교사들에게 나누어 줄 계획까지 세웠다.

한국으로 출국하기 20일 전, 탄자니아 내무부 담당자로부터 선교단체 인가가 났으니 인가증을 받아가라는 연락을 받았다. 곧바로 다르에스살렘 내무부에 가서, 그렇게도 기다리고 기다렸던 선교단체 인가증을 받았다. 우리 선교단체의 설립 인가 신청을 한 지 2년 7개월만이었다. 참으로 마음이 울컥하면서도 감격스러운 순간이었다.

"그러므로 내가 너희에게 말하노니 무엇이든지 기도하고 구하는 것은 받은 줄로 믿으라 그리하면 그대로 되리라"(막 11:24)

하나님께서 왜 우리를 그토록 기다리게 하셨는지, 나중에 그 뜻을 알게 되었다.

먼저 선교사역을 하는 데 있어서, 참고 인내하며 기다리는 법을 가르쳐 주셨다. 또한, 우리로 하여금 탄자니아의 언어와 문화, 그리고 현지인들과의 인간관계, 정부기관과의 관계 등을 맺는 많은 경험을 하게 하셨다.

비로소 우리는 선교사역의 열매를 맺기 위해서는 오랜 시간 동안 참고, 인내하며, 많은 어려운 과정을 겪어야만 한다는 사실을 깨닫게 되었다.

4. 최남단 선교지를 찾아가다

현지 선교단체 인가받은 후, 우리는 송게아와 음빙가 지역을 선교지로 정하고자 사전 답사를 다녀왔다.

선교지를 모로고로가 아닌 송게아와 음빙가로 선택하게 된 계기는 선교단체 설립 인가에 도움을 주었던 국회의원 지역구가 바로 음빙가 지역이었기 때문이었다. 그 당시, 나는 그 국회의원에게 만약 선교단체 설립 인가가 난다면, 그 의원의 지역구인 음빙가에서 선교사역을 하겠다고 약속했었다.

음빙가를 가기 위해 자동차로 모로고로를 출발해서 서쪽으로 높은 산등성의 2차선 도로를 따라 남쪽으로 내려갔다.

미쿠미 국립공원을 지날 때, 도로 양편에 스왈라, 기린, 얼룩말, 코끼리와 들소들이 한가로이 풀을 뜯고 있는 것을 볼 수가 있었다.

심지어 스왈라나 얼룩말 떼들이 도로를 가로질러 건너가기도 했다. 원숭이들은 마치 우리를 환영하는 듯, 도로가 양편에 도열해 줄지어 앉아있었다.

한 번은 차도 한가운데 커다란 기린이 우뚝 서서 우리 차

앞을 가로막고 서있는 것이 아닌가? 너무나 깜짝 놀라서 잠시 정차했다가 기린이 떠난 후에 출발하기도 했다.

약 5시간 반 동안 총 305킬로미터를 주행해서 탄자니아 중부에 위치한 이링가에 도착했다. 이링가는 해발 1,625미터의 분지에 형성된 교육 중심의 도시이다. 특히 유명 관광지로는 우드중과산맥이 있다. 이곳에는 수많은 고유종인 동식물들이 서식하고 있어 많은 관광객들이 찾아온다.

이링가에서 남쪽으로 험한 산길의 등성을 따라 오르락내리락하며, 4시간 반 동안 230킬로미터를 주행해서 은좀베에 도착했다. 은좀베는 해발 2천미터가 넘는 고산지대라 밤에 몹시 추웠다. 그래서 두꺼운 이불을 덮고 자야만 했다.

은좀베에서 1박 후, 남쪽으로 산길 따라 230킬로미터를 약 3시간 반 걸려서 송게아에 도착했다. 이곳에서 잠시 휴식을 취한 후, 서쪽으로 한창 도로포장공사 중이었던 송게아와 음빙가 사이의 비포장도로 100킬로미터를 약 2시간 달려서 마지막 목적지인 음빙가에 도착했다.

자동차로 모로고로에서 음빙가까지 1박 2일 동안, 15시간 반이나 걸려서 총 865킬로미터를 주행한 것이었다.

2012년 11월 21일부터 2013년 3월 5일까지 송게아와 음빙가 지역에 선교센터로 사용할 주택을 임차하기 위해 3차에 걸쳐 사전 답사를 다녀왔다.

송게아·음빙가 지역 사전 답사

2012년 11월 21일 새벽 6시, 모로고로를 출발해서 13시간 반 걸려서 송게아에 도착했다.

마침 이곳에서 선교사역을 하고 있는 한인 선교사의 안내로 송게아 시내 이곳저곳을 돌아보았다. 송게아는 자그마한 시골 마을로 한국의 면소재지 정도의 크기였다.

그 선교사가 우리를 점심 식사에 초대했다. 그 선교사 가정을 방문하였는데, 부모님과 함께 송게아에서 선교사역을 하고 있었다. 송게아 시내에서 우리를 도왔던 국회의원 부부를 만나 음빙가로 이동했다. 음빙가 가톨릭 성당에서 운영하는 게스트하우스에서 1박을 했다.

그 의원 부부의 안내로 음빙가 시내를 둘러보았고, 커피 생산공장도 방문했다. 음빙가는 탄자니아에서도 커피 생산지로 잘 알려져 있다. 그 의원 부부와 함께 자동차로 약 2시간 걸려서 그의 고향인 루안다로 이동했다. 첫날밤을 그의 고향 부친의 집에서 묵었다. 나는 그 의원의 연로하신 부친과 지체장애를 가진 조카딸을 위해 안수기도를 해주었다.

다음날, 우리는 그 의원 부부가 섬기는 가톨릭 성당에서 주일예배를 드렸다. 가톨릭교회 신부와 환담을 나누었는데, 참으로 검소하고 근면한 분이셨다. 예배 시작에 앞서, 신부가 우리를 성도들에게 소개했다. 우리를 환영하는 성도들은 춤추며 북을 치고, 성당 안을 빙글빙글 돌아다니며 열정적으로 찬양하였다.

그 의원 부부와 함께 루안다의 노천 탄광을 둘러보고, 그 의원 부부 소유의 땅들을 둘러보았으나, 너무나 외진 곳들이어서 매입할 수가 없었다.

우리는 음빙가에서 송게아로 나오는 길에 가톨릭 성지 마을 공동체인 페라미호를 방문했다. 1901년 독일의 성베네딕도 수녀 선교사들이 깊은 숲 속, 이곳 페라미호에 들어와서 병원과 학교를 세우고, 선교를 시작한 곳이었다.

지금은 하나의 가톨릭 성도들의 공동체로서 교회와 수도원, 수녀원, 종합병원, 기술학교, 초·중·고등학교, 농장과 직업훈련소 등이 있는 마을로 형성되었다. 한때 두 분의 한국인 수녀님들이 이곳에 계셨을 때, 우리와 자주 만나 친교의 시간을 갖곤 했었다.

우리는 다시 음빙가 시내에 거주할 주택을 알아보았으나 구할 수가 없었다. 대부분 탄자니아 집들은 담이 없어 안전상 문제가 있었다. 결국 음빙가에서 거주할 주택을 구하지 못하고, 모로고로로 다시 돌아갔다.

송게아에 주택을 임차하다

2012년 12월 10일 오전 9시, 모로고로를 출발하여 3박 4

일간의 일정으로 송게아와 음빙가에 사전 답사를 다녀왔다.

음빙가로 내려가는 도중, 은좀베에서 중학교 사역을 하고 있는 선교사 가정을 방문했다. 은좀베 시내에서 다소 떨어진 시골길을 따라 아주 우거진 숲 속 깊은 곳에, 중학교가 위치해 있었다. 은좀베에서 하루를 묵은 후, 다음날, 그 선교사 부부와 함께 송게아로 향했다.

송게아에 도착해서, 지난번에 우리를 안내했던 선교사를 만나 송게아 시내를 다니며 주택을 알아보았다. 그러나 지난번과 마찬가지로 울타리가 있는 주택을 구할 수가 없었다.

하는 수 없이, 함께 동행한 선교사 부부와 가톨릭 성지인 페라미호를 둘러보고 나서 음빙가에 도착했다. 음빙가 가톨릭 성당 게스트하우스에서 1박 후, 한 한국인 가정의 후원으로 건축한 루부마 지역의 보건소에 잠시 들렀다.

그리고 나서 음빙가 이곳저곳을 돌아다니며 주택을 알아보았으나, 울타리가 있는 주택을 구할 수가 없었다.

2013년 2월 28일 새벽, 5박 6일간의 일정으로 송게아와 음빙가에 3차 사전 답사를 떠났다. 오후에 송게아에 도착하자마자, 우리는 송게아와 음빙가를 오가며 거주할 주택들을 둘러보기 시작했다. 선교사가 소개해 준 주택 중개인이 음지무웨마 지역에 건축 중인 임대 주택으로 우리를 안내했다.

건축 중인 주택의 소유주는 다름 아닌, 지난해 처음 송게아에 내려와 묵었었던 시드팜빌라의 주인이었다. 그러나 아직 주택이 완전히 완공된 것이 아니어서 결정하지 못했다.

다음날 일요일, 송게아 시내에 위치한 루터교회 주일예배에 참석했다. 기도하는 중에 성령께서 부동산 중개인이 소개했던 건축 중인 임대 주택을 계약하라는 마음을 주셨다.

그래서 우리는 주택 소유주에게 이사오기로 한 3월 22일까지 모든 공사를 끝내기로 약속하고, 임대차 계약을 한 후, 모로고로로 돌아왔다.

송게아로 이사하다

2013년 3월 초, 우리는 송게아로 이사하기 위해 이삿짐을 정리하기 시작했다.

송게아로 이사하기 전, 모로고로에서 정리해야 할 일들이 많았다. 먼저 우리는 가사를 도왔던 조이스라는 자매와 주택 밖의 일을 해왔던 챨리시라는 청년과 함께 송게아로 동행할 것인지를 결정해야만 했다. 그런데 청년인 챨리시만 함께 가기로 했다.

모로고로에 언어연수를 왔을 당시만 하더라도 이삿짐은 여행용 가방 몇 개에 불과했었다. 그러나 3년 반이 지난 후, 갖가지 생활용품과 가재도구들을 장만했던 탓에 생각보다 이삿짐이 많았다.

이삿짐을 운반하기 위해 5톤 트럭을 계약했다. 우리가 이사하는데, 마침 단기선교를 왔던 외국어대 여학생이 이삿짐을 정리하는데 큰 도움을 주었다.

3월 22일 금요일 새벽 4시, 5톤 트럭에 큰 이삿짐들을 싣고 먼저 출발시켰다. 뒤이어, 우리 차량에 일부 개인 소지품들과 개 두 마리를 싣고 출발했다. 그동안 키웠던 개 다섯 마리 중에서 암수 두 마리만 데려가기로 하고, 남은 개들은 한인 선교사들에게 분양했다.

오는 도중에 차량 뒤편에 실었던 개 두 마리가 차멀미를 한 탓인지, 먹은 음식들을 토해 놓았다. 운전하는 동안 내내 개가 토한 음식 냄새로 인해 고통스러웠다.

모로고로에서 출발한 지 13시간 반 후, 저녁 5시 반경에 송게아에 도착했다. 기다리고 있던 청년들이 이삿짐을 옮기고 나서, 5톤 트럭이 도착하기만을 기다렸다. 밤 12시경이 되어서야 이삿짐을 실은 5톤 트럭이 도착했다.

내려오는 도중에 차량 고장으로 인해 수리하는데, 많은 시간을 허비했던 것이다. 청년들이 부지런히 트럭에서 이삿짐들을 집 안에 들여놓고 나니, 다음날 새벽 3시가 되었다.

송게아를 선교센터로 정하다

송게아로 이사한 후, 선교단체 본부를 송게아로 정하고자 행정적인 일들을 처리하기 시작했다.

송게아는 모로고로보다는 훨씬 작은 도시로 루부마도의 도청 소재지였다. 앞으로 우리 선교센터와 신학대학 설립에 필요한 정부기관 인허가 등의 행정업무를 처리하는데 송게아가 음빙가 보다는 편리할 것 같았다.

먼저 탄자니아 내무부에 변경된 선교단체의 주소와 정관 일부 변경을 위한 신청 서류를 구비하여 제출했다. 또한, 기존 거래은행인 바클레이은행에서 탄자니아 CRDB은행으로 바꾸었다. 왜냐하면 송게아에는 바클레이은행 지점이 없었기 때문이었다. 그리고 선교단체 명의와 개인 명의의 은행계좌를 새로이 개설했고, 세무서에도 선교단체와 내 개인 명의의 세무 등록도 마쳤다.

자동차 등록증과 보험 갱신을 했고, 송게아 우체국의 사서함도 개설했다. 기존 모로고로 우체국 사서함은 혹시 모를 우편물 수령과 관련해서 얼마간 기간을 연장해 놓았다.

Chapter 5 저 높은 곳을 향하여

"그 후에 내가 내 영을 만민에게 부어 주리니 너희 자녀들이 장래 일을 말할 것이며 너희 늙은이는 꿈을 꾸며 너희 젊은이는 이상을 볼 것이며."(엘 2:28)

1. 송게아에서 선교를 시작하다

송게아는 탄자니아 수도 다르에스살람으로부터 남쪽으로 약 1,054킬로미터나 떨어진 최남단에 위치한 도시다.

송게아 남쪽으로 모잠비크와 말라위의 국경과 가까운 위치다. 송게아는 해발 1천미터가 넘는 분지로서 한국의 가을 날씨처럼 아침저녁으로 제법 쌀쌀한 기온 탓에 1년 내내 밤마다 전기 담요를 켜고 자야만 한다.

송게아의 옛 지명은 마지마지(Majimaji)였다.

'마지'란, 스와힐리어로 '물'이란 뜻이다. 그래서 그런지 이곳 송게아 지역은 호미와 같은 농기구로 7미터 정도만 파면 물이 나온다. 타 지역보다 물이 풍부한 지역이기도 하다.

1905년부터 1907년까지 독일의 식민 통치에 항거했던 마지막 '마지마지 반란"이 일어났던 곳이다. 그래서 독일에 대한 항쟁을 기념하는 기념관도 있다. 특히 이 지역에 거주하는 부족들은 반골 성향이 강해 지금도 정부에 대한 시위가 종종 발생하기도 한다.

송게아 음지무웨마에 정착하다

우리가 사용할 선교센터의 주택은 음지무웨마(Mjimwema) 지역의 주택가에 있으며, 송게아 시내에서 자동차로 약 10분 정도 거리다.

시내 외곽에 위치한 주택가 지역으로 다소 조용한 곳이다. 처음 우리가 송게아로 이사 왔을 당시만 하더라도 시내 거리는 너무나 한가하고 조용했다.

그러나 10년이 지난 지금, 송게아는 시골 인구의 급격한 유입과 차량의 증가로 시내가 너무나 복잡해졌다. 시내 곳곳에는 예전에 보지 못했던 많은 건물들과 상점들이 들어섰다.

우리가 거주하는 주택 맞은편에는 유치원과 고아원이 있고, 뒤편에는 가톨릭교회와 수녀들이 거주하는 숙소가 있다.

임차한 주택은 이제 막 공사가 끝난 지라 아직 방범 철장 문도 없었고, 창문에 모기망이 없어서 방안에는 모기떼들이 득실거렸다. 우리가 거주하는 동안에 주택공사는 계속되었다.

동네 주변의 지리를 익히기 위해 이곳저곳을 돌아다니면서 이웃들에게 인사를 건넸다. 그리고 송게아와 음빙가 지역을 돌아다니며, 어디에서 선교사역을 시작할 것인지 놓고, 기도하기 시작했다.

탄자니아에 들어오기 전, 탄자니아 선교사역을 어떻게 할 것인지를 두고, 우리 나름대로 사전에 계획을 세웠었다.

그동안 너무나 세상적인 방법으로 선교 비전과 계획을 세웠던 것 같았다. 사실 송게아를 선교지로 정하기까지의 모든 과정을 뒤돌아보면, 당초 우리가 세웠던 선교 계획과 일정대로 이루어진 것은 없었다.

오직 하나님의 뜻대로 모든 일들이 이루어졌을 뿐이다.

더구나 송게아로 이사 온 후, 하나님께서 한국교회 교인들을 통해 우리에게 많은 선교비 후원을 해 주셨기에 비로소 본격적인 선교활동을 시작할 수가 있었다.

음빙가 루송가 아이들과의 만남

송게아로 이사 온 지 3개월 후, 우리는 송게아에서 서쪽으로 110킬로미터 떨어진 음빙가 루송가라는 외진 산동네에서 어린이들에게 복음을 전하기 시작했다.

당분간 송게아와 음빙가를 오가며 선교사역을 하다가 선교센터가 완공된다면, 음빙가로 사역지를 옮길 계획이었다.

2013년 7월 10일, 우리는 음빙가 루송가 보건소 소장을 만났다. 보건소가 쉬는 주말에 그곳 마당에서 루송가 산동네 아이들을 대상으로 방과 후 학습프로그램과 어린이 예배를 드릴 수 있도록 부탁했다.

마침 루송가 보건소장은 흔쾌히 승낙해 주었다. 매주 토요일에는 약 100명의 아이들에게 학습지도를 하고, 일요일에는 주일예배를 드렸다. 주말에 아이들을 만나 함께 하는 시간이 우리에겐 가장 기뻤다.

매주 토요일마다 어린이 학습활동에 필요한 학용품, 동화책, 레고, 퍼즐, 돗자리, 손 씻을 물 등을 자동차에 싣고, 송게아에서 약 2시간을 달려 루송가 보건소에 도착했다.

아이들에게 우리가 도착했다는 신호를 알리기 위해, 나는 색소폰으로 찬송가를 연주하곤 했다. 색소폰 소리가 온 동네에 울려 퍼지면, 그 소리를 듣고 호기심 가득 찬 흙 먼지투성이 아이들이 하나 둘 보건소에 도착했다.

첫날, 유치부 어린이부터 초등학생 그리고 중학생까지 약 40명이 모였고, 노래 부르기, 동화책 읽기, 받아쓰기, 구구단 외우기 등의 학습과 레고와 퍼즐 맞추기 등의 활동을 했다.

다음 날 일요일, 나는 색소폰을 불며, 주일예배를 시작했다. 먼저 찬양과 설교, 그리고 기도를 했다.

특히 플립 차트에다 만화 성경을 그려서 아이들이 이해하기 쉽게 인물 중심의 설교를 했다. 주일예배가 끝나면 고학년 학생들은 성경공부를 하고, 어린아이들에게 동화책을 읽어주거나 놀이 프로그램을 했다.

나중에는 발전기를 구입해서 노트북과 TV를 연결해서 파워포인트로 작성한 성경 인물 중심의 시청각 설교를 하고, 예배가 끝난 후에는 애니메이션 영화를 보여주었다.

송게아 선교센터가 완공하기까지 3년 3개월 동안 음빙가 루송가 보건소를 약 177회 총 19,470킬로미터를 오가며 선교사역을 하였다.

음빙가 선교센터 건축을 포기하다

매주 음빙가 루송가 보건소에서 아이들을 가르치면서 음빙가에 선교센터를 세우기로 계획했었다.

음빙가 지역을 두루 다니며, 선교센터를 건축할 땅을 이곳저곳 알아보기 시작했다. 매주 주말에 사역을 하고 있었던 보건소 뒤편에 약 2에이커(2천 4백평) 땅을 알아보았다.

그 땅은 여러 명의 소유주가 있어 토지를 매입할 경우, 소유주 전원 동의가 있어야 가능했다. 그런데 소유주 가운데 두 사람의 거절로 포기하고 말았다. 마침 국회의원 소개로 음빙가 시내 진입하기 전, 약 4에이커(4천 8백평) 임야를 소개받았다.

음빙가군 소유의 땅으로 우리는 음빙가 군수를 만나 매입의사를 전달했다. 그곳에 선교센터와 교회, 그리고 유치원을 건축하겠다는 계획을 음빙가 군수에게 설명했다. 음빙가 군수가 우리에게 그 땅을 매도하겠다는 결정을 하고 나서, 우리는 토지담당 직원과 함께 그 땅을 둘러보았다.

큰 도로 가에 위치한 땅으로, 이미 큰 나무들을 모두 벌목

한 상태였다. 게다가, 그 땅에는 크고 작은 돌들이 너무나 많았다. 만약 그 땅 위에 선교센터를 건축한다면, 땅을 정지하는데 많은 시간과 비용이 소요될 것만 같았다.

음빙가 군수와 구두로 매매계약을 체결하기로 합의하고, 우리가 한국에 다녀온 후, 정식으로 매매계약서 작성과 대금을 지불하기로 약속했다.

한국에 다녀온 후, 우리는 음빙가 군수를 만나 임야 지적도를 확인하고, 계약서 작성을 위해 매매대금을 확인했다.

임야 매매대금이 무려 3천 5백만실링(한화 약 2천 5백만원)이었다. 우리가 생각했던 매매 대금의 약 5배였다. 음빙가 군수는 우리가 외국인이라는 이유로 땅의 매매로 큰 이익을 남기고 싶어 했던 것이다.

물론 그 당시, 나는 주변 현지인들을 통해 임야 거래 시세를 이미 알아본 상태였다. 그래서 나는 음빙가 군수에게 매매계약 취소 공문을 발송했다. 결국 음빙가에 선교센터를 건축하려 했던 부푼 꿈들이 모두 무산되고 말았다.

예비하신 땅, 송게아 파차은네

음빙가 선교센터 건축을 포기한 후, 우리는 송게아에서 선교센터 건축부지를 알아보기 시작했다.

우선 파차은네 동장과 반장을 만나, 우리가 가난한 동네 아이들을 위해 무료 유치원과 방과 후 학습지도를 하고 싶다는 의사를 전달했다. 그들은 우리의 뜻에 흔쾌히 공감하였고, 선교센터 건축 부지 두 곳을 소개해주었다. 한 곳은 정부소유의 임야 1에이커 땅이었고, 다른 한 곳은 파차은네 마을 한가운데 무슬림 소유의 옥수수밭 1에이커 땅이었다. 옥수수밭 주위에는 많은 주택들이 밀집되어 있었다.

그런데 무슬림 소유의 밭은 매주 주말이면, 우리가 음빙가를 가기 위해 지나다니던 골목길 바로 옆이었다. 음빙가를 갈 때마다, 우리는 골목길 양편에 빽빽이 붙어있는 작은 집들 앞에서 놀고 있는 무슬림 가정의 많은 아이들을 보았다.

나는 놀고 있는 아이들의 모습을 볼 때마다, **"하나님, 하나님의 뜻이라면 이곳에서도 선교사역을 할 수 있도록 허락해주세요!"**라며 기도했다.

결국 선교 사역지에 대한 하나님의 뜻은 음빙가가 아니라 무슬림 가정의 많은 아이들이 거주하고 있는, 바로 송게아 파차은네 마을이었던 것이다. 모든 것이 하나님의 뜻대로 이루어져 간다는 것을 처음 깨닫게 되었다.

파차은네 동장이 소개한 옥수수 밭은 송게아시청에서 파차은네 마을 사람들을 위해 공동시장을 조성할 계획이었다.

그 땅의 무슬림 소유주는 그 땅을 매매하고 싶어도 도시계획에 묶여 10년 동안이나 거래할 수가 없었다. 우리는 송게아시청에 무료 유치원을 운영하는 조건으로 땅을 매입하겠다는 공문을 보냈다. 그러자 송게아시청에서 마을 공동시장 조성계획을 전면 취소하고, 우리가 토지를 매입할 수 있도록 허가해 주었다.

막상 선교센터 건축 부지를 매입키로 했지만, 사실 토지를 매입할 선교비는 없었다. 그런데 후원교회 교인인 어느 신혼부부가 전셋집 마련을 위해 예금해 두었던 5백 3십만원을 우리에게 선교비로 후원했다.

토지를 매입키로 결정하자, 음지무웨마 시의원, 파차은네 동장과 반장이 전격적으로 우리를 도왔다. 송게아 시청에서 토지 측량과 등기, 토지 매매계약, 소유권 이전 및 대금 지불, 건축 허가 등이 빠르게 진행되었다. 이 모두가 하나님의 뜻이었기에 순조롭게 진행되었던 것이 아닌가 생각한다.

송게아 파차은네 아이들과의 만남

선교센터 건축 부지 매매계약 체결 후, 나는 바로 밭에 있는 옥수수와 나무들을 정리하기 시작했다.

2014년 6월 23일, 대림감리교회 교인 세 분이 우리 선교지에 2주간 일정으로 단기선교를 왔다. 나는 단기선교팀을 맞으러 송게아에서 다르에스살렘 국제공항까지 왕복 2천 1백 킬로미터의 거리를 운전했다. 단기선교팀을 인솔하느라 피곤

했던 탓에 말라리아를 연이어 세 번이나 걸렸다.

단기선교팀이 와서 떠나기까지 계속 말라리아 약을 복용해 가면서 약 4천 5백킬로미터에 달하는 거리를 운전해야만 했다.

송게아에 도착한 단기선교팀은 우리와 함께 선교센터 건축 부지의 땅 밟기를 시작했다. 옥수수 밭에 돗자리를 펼쳐 놓았더니, 어느새 동네 아이들이 하나 둘 모여들기 시작했다. 어린아이들부터 초등학생들까지 약 80명의 아이들이 돗자리 위에 둘러앉았다.

스와힐리어로 번역한 한국 동화책들을 나눠주어 읽도록 했고, 색연필과 도화지를 주어 그림을 그리게 했다. 물론 스와힐리어를 읽을 수 없는 아이들은 우리가 동화책을 읽어 주었다. 참석한 아이들 중에는 의외로 무슬림 가정의 아이들이 많았다. 이렇게 해서 우리는 음빙가 루송가 마을과 함께 송게아 파차은네 마을의 어린이 선교사역을 시작했다.

얼마 후, 선교센터 건축이 시작되자, 옆 집 마당을 빌려 아이들의 학습 장소로 사용했다. 나는 아이들이 사용할 수 있는 나무 장의자를 직접 만들었고, 어린이용 플라스틱 의자도 구입했다. 나무 장의자는 옆 집 부엌에 보관했고, 매일 학습용 책과 자재, 그리고 노트북과 TV, 그리고 발전기 등은 자동차에 싣고 다녔다.

매일 아침 7시부터 선교센터 건축현장에서 일을 하면서, 오후 5시 이후부터는 옆집 앞마당에서 학교에서 귀가하는 아이들을 모아서 방과 후 학습지도를 했다. 모든 학습지도가 끝나면, 해가 질 무렵이 되어서야 자택으로 귀가했다. 이렇게 시작된 송게아 파차은네 아이들과 만남은 정말 하나님의 뜻이었다고 생각한다.

2. 아이들의 꿈이 있는 곳

탄자니아는 학령인구의 급증으로 초등학교나 중고등학교가 턱없이 부족하다.

대부분 국공립학교에서는 교실이 부족하다 보니 오전 오후 반으로 나누어 가르치기도 한다. 뿐만 아니라, 학교 시설도 너무나 노후되어 비만 오면 지붕에서 빗물이 누수되고, 교실 창문은 유리창이 없어 밖에서 진흙 먼지가 교실 안으로 그대로 들어온다. 우리는 교실이 부족한 인근 아마니초등학교에 50명을 수용할 수 있는 교실 두 개를 건축해주기도 하였다.

심지어 어떤 학교는 책걸상 없이 바닥에 돗자리를 깔고, 학생들을 가르치는 학교도 있다. 물론 대부분의 학생들이 교과서가 없다 보니, 선생님이 칠판에 가득 써 놓으면 공책에다 그대로 베껴 쓰는데 수업시간의 대부분을 보낸다.

그렇다고 학교 수업이 끝나고, 집에 돌아오면 한국처럼 일반 사설학원을 다니는 것도 아니다. 대부분 학교 선생님들이 방과 후, 많은 학생들을 모아 놓고 한 과목당 100~200실링(한화 약 50~100원) 정도 받고 가르친다.

그러나 이 마저도 납부할 여력이 없는 대부분의 학생들은 방과 후 학습을 포기할 수밖에 없다. 그나마 파차은네 동네에 거주하는 학생들은 우리 선교센터에 와서 언제든 공부할 수가 있다.

"예수께서 이르시되 어린아이들을 용납하고 내게 오는 것을 금하지 말라 천국이 이런 사람들의 것이니라 하시고."(마 19:14)

예수님은 어린아이들을 사랑하셨고, 축복하셨다.

비록, 나이 어린아이들이라 할지라도 예수님은 손을 내밀어 어린아이들의 손을 꼭 잡아 주셨다. 우리 선교센터에 찾아오는 모든 아이들이 예수님을 만나기를 소망하고 있다.

어린아이들에게 복음을 전한다는 것은 미래의 그리스도인으로 양육을 하는 것이 자, 탄자니아의 영적 지도자로 세우는 일이기도 하다. 그래서 우리 선교센터는 학생들에게 꿈을 키워주는 동시에 복음을 전하는 곳이기도 하다.

송게아 선교센터 건축

2014년 9월 1일, 송게아 파차은네에 본격적인 선교센터 건축 공사가 시작되었다.

우리가 거주하던 임대 주택의 주인이 우리에게 한 건축 설계사를 소개해주었다. 마침 그 설계사는 우리가 거주하던 집 맞은편에 건축 중이던 가톨릭 유치원의 감리사로 일하고 있었다. 건축 설계사와 함께 건축할 땅을 측량하고, 어떤 형태의 건물을 건축할 것인지를 두고 함께 이야기를 나누었다.

나는 건축 부지 위에 들어설 건물들의 그림을 하나하나 그려서 설계사에게 주었다. 설계사는 내가 그려준 대로 선교센터 건축물들의 설계도와 건축 예상 비용의 산출내역을 함께 가져왔다. 그런데 설계사가 산출했던 선교센터 건축 비용이 총 8억 9천만실링(한화 약 5억원) 정도였다.

사실 건축 부지 매입 비용도 겨우 마련하였는데, 건축비 5억원이라는 돈은 상상할 수 없는 큰돈이었다. 그래서 설계사가 제안한 건축회사와의 계약은 포기하고, 기도하며 다른 방법을 모색했다.

우리가 거주하던 집주인의 소개로 한 건축 기술자를 만났다. 기술자 3명과 근로자 10명 등, 총 13명이 건축을 시작하기로 하고, 건축 공사 계약을 했다.

선교센터 건축 부지의 크기는 2,974평방미터(약 901평)이었다. 먼저 공사에 필요한 물을 얻기 위해 10미터 깊이의 우물을 팠다. 그리고 건축공사에 필요한 모든 공기구들을 구입했다.

왜냐하면 이곳 탄자니아는 건축기술자들이 공사장에 건축 장비와 공기구 없이 맨 몸으로 온다. 그래서 건축주가 공사에 필요한 모든 건축 장비들을 미리 준비해 두어야만 한다.

그 밖에 공사에 필요한 자재들 - 시멘트, 모래, 자갈, 진흙벽돌, 철근 등 - 을 직접 구입했다. 자갈과 모래, 그리고 진흙벽돌을 구입하기 위해서 시골 구석구석을 찾아다녔다.

먼저 울타리 공사에 필요한 시멘트 기둥 90개와 펜스 철망 215미터를 구입했다. 또한 페라미호 가톨릭교회 소속 제작소에 철판 대문을 제작, 의뢰했다.

울타리 설치 공사를 위해 구덩이를 판 후, 시멘트 기둥을 세우고, 펜스와 대문을 설치했다. 공기구와 건축자재들을 보관할 창고를 짓고 나서 기초공사를 준비하기 시작했다. 큰 나무들을 자르고 나서, 먼저 교회와 유치원의 기초공사를 위한 터파기에 들어갔다. 울타리 주변에는 가시나무 묘목 약 1천 5백주를 심었다. 지금은 가시나무들이 3미터 높이로 자라서 철망 펜스 대신에 가시나무 울타리가 되어버렸다.

주민들에게 생명수를 공급하다

탄자니아는 동쪽으로 인도양을 접하고 있기 때문에 건기(5월~10월)와 우기(11월~4월)가 뚜렷한 열대성 기후를 가지고 있다.

그러다 보니 건기 때에는 가뭄이 극심해서 주민들이 식수난을 겪기도 한다. 우기 때에는 집중 호우로 인해 홍수가 나는 바람에 주민들의 피해가 극심하다.

송게아 파차은네 지역에도 건기 때만 되면, 마을 사람들이 식수를 구하기 위해 양동이를 들고, 마을 이곳저곳을 배회하는 모습을 볼 수가 있었다. 그러나 마을의 우물들은 이미 물이 말라 있었기에 물을 구하기가 어려웠다.

파차은네 동장이 주관하는 주민회의에 참석해서, 나는 선교센터에 지하수를 개발하여 무상으로 식수를 공급하겠다고 주민들과 약속했다. 주민들은 환호하며 기뻐했다.

나는 하나님께 마을 주민들이 영원히 목마르지 않은 생명수를 마시게 해달라고 간절히 기도했다. 마침 한국에서 교인 한 분이 지하수를 개발할 수 있도록 후원하셨다.

지하 24미터 깊이의 구멍을 뚫고, 모터펌프로 지하수를 끌어올려 5천리터 물탱크에 저장한다. 매일 약 3천리터의 물을 마을 사람들에게 공급하고 있다. 이제 건기 때마다, 마을 사람들이 물을 구하기 위해 이리저리 헤매는 일은 하지 않게 되었다.

건축 감독자와의 법정 소송

2015년 4월, 당시 교회와 유치원 기초공사인 벽돌 쌓기가 끝나고 정화조 구덩이를 파고 있을 때였다.

부활절을 맞아 쉬지 않고 열심히 일하고 있는 건축 근로자들에게 선물을 하기로 했다. 건축 감독자와 근로자들을 불러, 한 사람 한 사람에게 고맙다는 인사와 함께 선물을 전달했다.

그런데 건축 감독자가 내가 준 선물 봉투를 열어 현금을 꺼내 들면서, 너무나 적은 돈이라며 불평하는 것이었다. 나는 그동안 건축 감독자에게 때마다 지불했던 모든 인건비 내역들을 근로자들 앞에서 공개했다.

그러자 갑자기 근로자들이 건축 감독자에게 큰소리치며 화를 내는 것이었다. 그 이유인 즉, 그동안 내가 지불했던 근로자들의 인건비를 건축 감독자가 모두 챙겨간 것이었다. 그리곤 건축 감독자는 나한테서 공사비를 받지 못했다고 근로자들에게 내 핑계를 댔던 것이었다.

그 순간, 내가 근로자들을 만날 때마다 먼저 인사를 해도 받아주지 않았고, 성난 얼굴의 표정으로 나를 대했던 모습들이 떠올랐다. 그 당시 근로자들이 왜 그렇게 화가 났었는지를 비로소 알게 되었다.

모든 근로자들이 건축 감독자의 멱살을 부여잡고, 파차은네 동장을 찾아가 인건비 횡령죄로 고발했다. 결국 동장 앞에서 건축 감독자는 근로자들에게 모든 인건비를 돌려주기로 약속했다. 이로 인해, 건축 감독자는 분한 마음에 법원에 미

지급 공사비 반환 청구 건으로 나를 고소했다.

어느 날 아침, 영문도 모른 채, 송게아 법원으로부터 뜻밖의 소환장을 받았다. 파차은네 동장에게 서류를 보여주었더니 건축 감독자가 내게 미지급 공사비 반환 청구소송을 제기했다는 것이었다.

그렇게 시작된 법정 소송은 약 두 달 동안이나 진행되었고, 나는 법원에 출석해서 재판을 받았다. 그동안 공사비를 지급할 때, 받아 두었던 영수증들을 모두 복사해서 법원에 증거로 제출했다. 그리고 법정 진술을 위해 건축 감독자와의 어떤 문제가 있었는지를 판사와 배심원들 앞에 서서 진술해야만 했다. 법원의 판사와 배심원들이 원고인 건축 감독자의 패소 판결을 내렸고, 재판은 모두 종결됐다.

사실 재판과정에서 구의원과 동장의 많은 도움을 받았다. 감사의 표시로 동사무소 신축 건물 공사비를 후원했고, 마을 대표 축구팀에게 유니폼과 축구공을 선물하기도 하였다.

그동안 건축 공사 중단으로 인한 피해와 정신적 고통은 이루 말할 수가 없었다. 그래서 판사에게 건축 감독자를 무고죄로 고소하겠다고 하니, 나를 말리는 것이었다. 법정 소송으로 수개월 간의 시간을 낭비할 뿐이라는 것이었다. 결국 우리는 무고죄로 인한 소송을 포기하고 말았다.

힘들고 어려웠던 선교센터 건축

건축 감독자와의 법정 소송으로 약 3개월간 중단되었던 건축 공사를 다시 시작했다.

막상 현지인 기술자로부터 법정 소송을 당하고 나니, 다른 기술자와 건축공사 계약을 하는 일이 쉽지가 않았다.

그러던 중, 동네 이웃 사람이 내게 한 건축 기술자를 소개해주었다. 그 건축 기술자는 바로 건축 중이던 선교센터 맞은편 집에 살고 있었다. 이 기술자는 정식으로 건축 기술을 배운 게 아니라 어깨너머로 배운 기술자였다.

이 기술자를 통해서 다른 기술자들과 근로자 15명을 모집해서 건축공사를 다시 시작했다. 이들은 건축 기계 공구들을 다루어 본 적이 없었기에 내가 직접 공사 현장에 참여했다.

건축물의 골조공사를 위한 수평 수직 측정을 시작으로 철근 절단과 조립, 거푸집 제작과 설치, 건물 바닥공사, 문틀과 창문틀 설치, 외벽 페인트 칠, 정화조 뚜껑 제작, 물탱크 설치 등은 내가 직접 근로자들에게 하나하나 가르쳐가며, 공사를 진행했다.

물론 건축공사를 하던 중에 사다리가 부러져서 낙마했던 일, 그라인더로 골조 위에서 철근을 자르다가 내 허벅지를 잘랐던 일, 손발에 대못이 박혔던 일, 철근을 너무 많이 묶다가 손가락 골절을 당한 일 등, 갖가지 사고가 있었다.

그라인더로 허벅지를 베어 많은 피를 흘렸을 때에는 차 속에 앉아서 잘라진 허벅지를 손으로 꽉 부여잡고 저절로 붙도록 하나님께 기도했다.

"하나님, 제발 잘라진 제 허벅지를 원래대로 붙여주세요!"

1시간 후, 상처 부위를 꽉 붙잡고 있던 손을 떼었더니, 놀랍게도 크게 베었던 자리가 서로 붙었기에 병원 치료를 받지 않아도 되었다.

그렇게 중단되었던 어린이교회의 골조공사를 끝내고, 유치원의 골조공사를 하기 시작했다. 그런데 감독 기술자가 내게 근로자들의 턱없는 인건비 인상을 요구했다.

어느 날, 내가 시내에 잠시 나간 사이, 갑자기 폭우가 쏟아지기 시작했다. 걱정이 되어 급히 공사 현장으로 돌아와 보니 폭우가 쏟아지는데도 타설공사를 하던 시멘트 기둥 위에 아무것도 덮어놓지 않았던 것이었다.

빗물이 차면서 타설했던 시멘트는 모두 모래로 변했다. 그런데도 기술자들과 근로자들이 소나비를 피해 지붕 밑에서 편히 쉬고 있었던 것이었다. 내게 불만을 표출하기 위한 행동이었다. 하는 수 없이 나는 감독 기술자와의 계약을 파기했다. 이렇게 현지인 건축 기술자들과 근로자들을 고용했다 해고하는 일을 몇 번이나 반복하고 나서야 겨우 어린이교회가 완공되었다.

나머지 유치원과 도서관, 선교센터와 게스트하우스 공사는 아직 끝나지도 않았다. 하는 수 없이 나는 기술자 한 명과 건축 경험이 없는 동네 청년 세 명을 데리고 남은 건물들의 내외벽 시멘트 공사와 천장공사, 처마 밑 물받이공사, 건물 내외벽 페인트공사 등 모든 공사를 마무리하기 시작했다.

단지 지붕공사와 바닥 타일공사, 전기와 수도공사 등은 전문 기술자들에게 맡겼다.

Glory Pre-Primary School 설립

우리는 유치원을 건축하면서, 동시에 어린이교회와 선교센터, 그리고 마을 도서관도 함께 건축하였다.

만약 우리가 송게아 시청에 현지 선교센터 건축 허가 신청을 먼저 했었더라면, 유치원을 포함한 다른 건축물 허가를 받기가 어려웠을 것이다. 그러나 먼저 무료 유치원 건축 허가 신청을 했기에 부수적으로 다른 건축물들도 함께 공사할 수가 있었던 것이다. 유치원 건축비는 울산시 소재 영광교회 담임목사님이 후원해 주셨다.

그래서 우리는 유치원 이름을 'Glory Pre-Primary School'로 정했다. 유치원 교실 2개, 어린이교회, 도서관과 교무실, 놀이교실, 선교센터, 게스트하우스, 창고 등을 건축했다.

건축이 모두 끝나고 나서, 탄자니아 교육부에 정식으로 유치원 등록 신청을 했다. 이어서 우리는 송게아 시청으로부터 건축물 완공 검사를 받았고, 교육부 파견 검사원들이 유치원 생 입학 인원, 교사 채용, 교육 자재시설, 복지 및 체육시설 등에 관한 검사를 했다.

검사가 끝난 후, 교육부로부터 조건부 허가를 받았다. 유치원 부지가 최소 1에이커(1천 2백평)가 되어야 했기에 부족한 3백평의 부지를 추가로 매입하는 조건이었다.

결과적으로 우리는 송게아 파차은네에 유치원 건축이라는 명분으로 Wesley Mission Tanzania 선교단체 본부를 정식으로 내무부와 RITA(등록사무소)에 등록할 수가 있었다.

지혜와 물질을 주시는 하나님

"네가 만들 방주는 이러하니 그 길이는 삼백 규빗, 너비는 오십 규빗, 높이는 삼십 규빗이라 거기에 창을 내되 위에서부터 한 규빗에 내고 그 문은 옆으로 내고 상 중 하 삼층으로 할지니라."(창 6:15~16)

하나님은 노아에게 홍수에 대비해서 방주를 만들라고 말씀하셨다. 노아는 한 번도 만들어본 적이 없었던 방주를 만들어야 했기에, 오직 하나님이 가르쳐 주신 대로 순종하며 만들었다. 하나님이 노아에게 방주를 제작할 수 있는 지혜와 능력을 주신 것이다.

매일 새벽 기도할 때마다, 그날그날의 건축공사에 대한 지혜를 내게 달라고 하나님께 간절히 기도했다. 왜냐하면, 한 번도 건축공사를 해 본 적이 없었기 때문이었다.

놀랍게도 기도할 때면, 성령께서 모든 건축공사의 방법들 - 건물의 기초공사와 벽체공사, 지붕공사, 문과 창틀 제작 및 설치, 상하수도 시설공사, 전기공사 등 - 에 대한 수많은 지혜를 주셨다. 만약 성령께서 내게 건축에 관한 지혜를 주시지 않았더라면, 결코 건축공사를 끝낼 수가 없었을 것이다.

보다 구체적인 건축 방법에 대해서는 유튜브를 통해서 배웠고, 건축공사에 참여했던 청년들에게 하나하나 가르쳐가며 건축공사를 진행해 나갔다. 건축공사 중에 건축비가 없어서 몇 번이나 공사를 중단하기도 했다.

한 번은 건축비가 없어서 몇몇 후원교회에 우리의 어려운 사정을 알리고 도움을 청하는 선교편지를 보냈었다. 그러나 어느 한 교회도 건축비 후원 요청에 답이 없었다. 지푸라기라도 잡고 싶은 심정으로 숭실대 최고경영자과정에 참여했던 한 중소기업 사장에게 건축비 후원을 부탁했다.

그러자 얼마 후, 그 사장한테서 약간의 건축 후원금을 송금했다는 연락을 받았다. 기쁜 마음에 급히 거래은행에 가서 후원금을 인출하려고 통장 잔고를 확인해 보니, 무려 2만 불의 건축후원금을 보내주었다. 혹시나 2천불을 2만불로 잘못 본 것은 아닌지 몇 번이나 확인했다. 기대하지도 않았던 큰 후원금을 받았던 것이다. 결국 한 중소기업 사장의 도움으로 어린이교회 건축을 마무리할 수가 있었다.

이어서 바로 선교센터 건축에 들어갔는데, 마침 한국에 계신 부친으로부터 연락이 왔다. 10년 전부터 팔려고 내놓았던 내 소유의 전답이 팔렸다는 소식이었다. 덕분에 전답의 매각 대금의 십일조 헌금으로 우리가 거주할 선교센터를 건축할 수가 있었다.

4년 후인 2018년 8월, 어린이교회와 유치원, 도서관, 선교센터, 게스트하우스의 공사가 모두 마무리되었다. 선교센터 총 건축 공사비는 약 2억원 정도 소요되었는데, 알고 지내던 많은 지인들이 십시일반으로 도움을 주셨기에 가능했던 것이다.

예수님은 너를 정말로 사랑하셔!

"예수께서 한 어린 아이를 불러 그들 가운데 세우시고 이르시되 진실로 너희에게 이르노니 너희가 돌이켜 어린 아이들과 같이 되지 아니하면 결단코 천국에 들어가지 못하리라."(마 18:2~3)

예수님은 제자들에게 어린아이와 같이 되지 않으면, 결코 천국에 들어갈 수 없다고 말씀하신다. 예수님은 어린아이를 큰 자로 세우셨다. 제자들에게 어린아이와 같은 순수한 마음을 가지고 섬기는 자로서 겸손을 가르치셨다.

우리는 매일 이곳 송게아에서 어린아이들과 함께 살아가고 있다. 특히 주일예배에 참석하는 아이들이나 방과 후에 도서관에 공부하러 오는 학생들을 위해 기도해 준다.

내 손으로 아이의 양 볼을 살며시 감싸며, **"예수 아나쿠펜다 싸나!(Yesu anakupenda sana!, "예수님은 너를 정말로 사랑하셔!")"**라고 기도해 준다.

그럴 때마다, 아이들이 함박웃음을 지으며 너무나도 기뻐한다. 그동안 나는 많은 아이들을 위해 기도해 주었다. 예수님께 감사의 기도가 절로 나온다.

탄자니아에서는 깨끗하지 못한 주위환경으로 인해 말라리아나, 혹은 각종 질병에 걸리는 경우가 많다. 심지어 말라리아로 사망하는 아이들도 많다. 우리 선교센터에 공부하러 왔던 아이들 중에서도 말라리아로 하늘나라에 간 아이들도 있다. 정말 가슴 아팠던 일이었다. 그래서 나는 아픈 아이들을 볼 때마다, 내 품에 안고 기도해 준다.

"예수님 이 아이를 사랑하시죠? 병을 고쳐주세요!"

말라리아에 걸린 아이, 얼굴과 팔이 부은 아이, 목에 큰 망

울이 있는 아이, 모두가 예수님의 사랑으로 병 나음을 받았다. 나는 탄자니아 아이들을 볼 때마다 측은지심(惻隱之心)의 마음을 갖게 된다. 예수님은 탄자니아 아이들을 정말로 사랑하신다.

예수님은 내가 탄자니아 아이들과 함께 사랑을 나누도록 탄자니아로 보내 주셨다. 만약 예수님의 사랑을 받지 않았더라면, 이곳 탄자니아 아이들을 사랑할 수 없었을 것이다.

예수님의 사랑은 세상적인 사랑과 근본적으로 다르다. 세상적인 사랑은 자기 자신과 가족만을 사랑하는 이기적인 사랑이다. 그러나 예수님의 사랑을 다른 사람들을 나 자신과 같이 사랑할 수 있는 이타적인 사랑이다.

만약 우리 마음속에 자신만의 사랑으로 가득 채운다면, 예수님의 사랑이 함께 할 자리가 없다. 우리가 진정 하나님을 사랑한다면, 자기중심적 사랑에서 벗어나야 한다.

아이들의 방과 후 학습

이곳 파차은네 동네 길거리에서 만나는 아이들마다 우리에게 반갑게 인사하며 다가온다.

'음중구! 음중구!'(Mzungu, 유럽인, 백인)

우리에게 과자나 돈을 달라고 손을 내미는 아이들도 있다. 그럴 때마다, 문득 나의 어린 시절이 떠오른다.

어린 시절, 길에서 미군 장병들을 만나거나 미군용 차량이 지날 때마다 뒤쫓아 다니며, '양키! 양키!'라고 소리치며, 과자와 돈을 달라고 손을 내밀기도 했었다. 그러기에 탄자니아 아이들이 내게 다가와 과자와 돈을 요구할 때마다, 그 아이들의 심정을 이해할 수가 있었다.

탄자니아 아이들은 너무나 힘든 하루하루의 삶을 살아가고 있다. 학교에 가기 위해 1시간 이상을 걸어 다니는 것은 보통이다. 심지어 2시간 이상을 걷는 경우도 많다.

대부분 학생들은 학교에서 점심 식사를 거른 채, 집에 돌아와서야 겨우 식사를 한다. 그러고 나서 땔감 나무 구하기, 물 긷기, 밭 일, 빨래, 부엌일, 동생 업고 다니기 등의 고된 일들을 한다. 나이가 어린아이들에게는 하루하루가 고된 생활이다.

심지어 부모의 이혼이나 미혼모의 자녀들은 대부분 할머니와 함께 생활한다. 정상적인 가정의 아이들처럼 부모의 사랑을 받지 못한다. 대부분 우리 선교센터에 공부하러 오는 아이들 중에는 결손 가정의 아이들이 너무나 많다.

대부분 가난한 아이들이다. 집안 형편이 안 좋아 학교 선생님으로부터 과외를 받을 수 없어 우리 선교센터에 찾아온다. 선교센터 도서관에는 약 5백권의 교과서와 성경 이야기책, 그리고 각종 동화책 등이 비치되어 있다.

아이들은 언제든지 도서관에서 학교 공부를 하거나 독서를 할 수 있다. 약 1백명의 학생들은 학교 수업을 마치고 집에 갔다가 점심 식사 후, 우리 선교센터에 공부하러 온다.

아내와 정식교사 두 명, 보조교사 두 명이 초등학교 3학년부터 6학년까지 성경 말씀과 영어와 산수 등의 과목들을 방과 후에 가르치고 있다.

나는 초등학교 6학년부터 중학생까지 영어 성경을 가르치고 있다. 우리 선교센터에 있는 시간 동안만은 아이들 모두가 기쁨과 행복감을 만끽할 수가 있다.

아이들과 함께 하는 예배

2009년 6월, 탄자니아로 파송받은 이후, 지금까지 어린이들과 함께 주일예배를 드리고 있다.

처음에는 송게아와 음빙가를 오가면서 루송가 보건소 마당에서 이동식 발전기를 돌려서 아이들과 함께 주일예배를 드렸다. 지금은 송게아 어린이교회에서만 주일예배와 수요예배를 드리고 있다. 송게아에 교회를 건축하기 전까지는 음빙가 루송가 보건소를 오가며 아이들과 함께 주일예배를 드렸었다.

그런데 송게아 어린이교회가 완공될 즈음, 음빙가 루송가 마을에도 새로운 교회가 봉헌되었다. 우리와 함께 주일예배를 드리던 아이들이 그 교회를 다니기 시작했다.

송게아 어린이교회가 완공되면서 자연스럽게 음빙가 루송가 마을에서 철수했다. 송게아교회 첫 주일예배에 약 40명의 동네 아이들이 참석했다. 그러다가 점차 아이들이 늘어나고 교회 내부도 깨끗하게 단장됨으로써, 약 150명의 아이들과 함께 예배를 드렸다.

그러나 코로나 팬데믹 이후, 지금은 약 120명의 아이들과 함께 주일예배를 드리고 있다. 주일예배 시작 전에 아이들은 유튜브에서 'Superbook'이라는 스와힐리어 성경 애니메이션을 시청한 후, 다 함께 찬송가를 부른다.

예배 시작 기도에 이어, 찬양팀의 열정적인 찬양과 율동에 모든 아이들이 자리에서 일어나 함께 찬양한다.

다 함께 사도신경을 읽은 후, 파워포인트로 제작한 인물 중심의 성경이야기를 대형 TV를 통해 아이들에게 보여주며 설교를 한다. 아이들에겐 시청각 효과가 있다. 설교가 끝나면, 헌금을 하고, 십계명과 주기도문을 읽고, 다 함께 기도한 후, 축도로 끝이 난다.

예배가 끝난 후, 스와힐리어 만화영화 한 편을 보여준다. 특히 주일예배에서 아이들이 낸 헌금은 모두 시내 길거리에서 구걸하는 장애인들에게 후원한다. 비록 어린이들이 드리는 예배당이라 할지라도, 기도 가운데 성령께서 함께 하신다는 것을 느낄 수가 있다.

3. 코로나 팬데믹과 노방 전도

"우리가 알거니와 하나님을 사랑하는 자 곧 그의 뜻대로 부르심을 입은 자들에게는 모든 것이 합력하여 선을 이루느니라."(롬 8:28)

사도 바울은 하나님을 사랑하는 사람은 하나님께 부르심을 받은 사람이며, 하나님께 부르심을 받은 사람은, 바로 하나님을 사랑하는 사람이라고 말씀하고 있다.

우리 그리스도인들은 하나님의 부르심을 받은 사람들이다. 부르심을 받은 사람들은 정말로 하나님을 사랑하는 사람들이다. 그렇다고 해서 부르심을 받은 사람들은 흠이 없고, 죄가 없는 순결하고, 완전한 사람들을 말하는 것은 아니다.

하나님의 뜻에 합당한 사람, 즉 하나님의 일을 하나님의 뜻에 따라 순종하며, 하나님의 일을 잘 수행하는 사람들이다.

부르심을 받은 사람들은 세상적인 사람들과 달리 걱정이 없는 사람들이다. 왜냐하면 하나님께서 마음에 평안을 주시기 때문이다. 부르심을 입은 사람들은 모든 것이 합력하여

선을 이룬다는 믿음과 확신을 갖게 된다.

하나님의 부르심에 순종할 때, 모든 일들을 하나님께서 주관하시고, 모두가 합력하여 이루어 갈 수가 있다. 하나님의 뜻을 이루어 나가기 위해서는, 우리의 힘만으로 그 한계가 있다. 예수님 역시 12제자를 통해서 세계 복음화를 이루셨다.

안식 여행과 코로나 팬데믹의 시작

탄자니아 선교사역을 시작한 지, 어느덧 12년의 세월이 흘렀다. 그동안 한국에 잠시 들어올 때마다, 제대로 휴식을 취한 적이 없었다. 그래서 이번 기회에 한국에서 잠시 쉬는 동안 남해안을 따라 여행을 하기로 했다.

남양주 진접을 출발해서 대구 성베네딕도 수녀원에 도착했다. 탄자니아 송게아에서 선교활동을 하셨던 수녀님을 만나 함께 식사하며 환담을 나눈 후, 부산으로 내려갔다.

부산 해운대 앞바다가 훤히 내다 보이는 그랜드호텔에 숙박했다. 이 호텔은 25년 전, 부산 D은행 경영컨설팅 당시, 혁신리더들과 함께 워크숍을 할 때마다 자주 이용했던 곳이다.

해운대에 1박 2일 묵으면서 아내의 대학시절 친구들을 만났다. 나 역시 10년 이상 만나지 못했던 부산 사촌 동생들을 만나 오랜만에 신앙생활에 관한 많은 이야기를 나누었다. 모두가 믿음 있는 신실한 그리스도인들이었다.

2주 후, 우리는 새날교회 담임목사님과 함께 목포로 향했다. 그동안 우리에게 후원 들어왔던 중고 옷가지들을 모아둔 것이 있었다. 사실 한국과 탄자니아 간의 선박운송이 중단되면서 집에 보관해 두었다. 결국 항공기로 운송해야 하는데, 비싼 운송비로 인해 가져갈 수가 없었다.

마침 새날교회 담임목사님의 소개로 해남 새롬교회에서 아프리카 이주노동자들을 돕고 있다는 이야기를 듣고, 그곳에 전달하러 갔다. 새롬교회 담임목사를 만나 후원물품을 전달했다. 목사님은 아프리카 이주 노동자들에게 많은 도움을 주고 있었다.

서울로 올라오는 길에 서평택에서 아프리카 근로자들을 섬기고 있는 외국인 선교교회 담임목사를 20년 만에 만나, 지난날을 생각하며, 즐거운 시간을 보내고 돌아왔다. 얼마 후, 아프리카 근로자들을 대상으로 주일예배에서 설교를 했다.

그런데 갑자기 대구 신천지교회에서 코로나 감염환자가 무더기로 발생하면서, 우리나라의 코로나 팬데믹이 시작되었다.

3월 10일, 탄자니아로 떠날 예정이었는데, 혹시나 코로나 팬데믹으로 인해 출국하지 못할까 노심초사했다.

다행히도, 코로나 검사 후, 출국할 수가 있었다. 당시 인천국제공항은 해외로 나가는 승객들을 거의 볼 수가 없었다. 인천국제공항 전체가 음산함마저 느껴졌다. 물론 탄자니아 입국 시에도 철저한 코로나 검사를 받은 후, 겨우 입국할 수가 있었다. 한국에서 탄자니아에 오기까지 참으로 힘든 여정이었다.

코로나 팬데믹으로 사역이 중단되다

탄자니아에 입국하자, 이미 전국적으로 코로나 감염이 확산되어 비상상황에 돌입한 상태였다.

입국한 지 일주일, 모든 학교에 휴교령이 내려졌고, 가톨릭과 개신교 교회, 이슬람사원, 심지어 공공장소에서의 모든 집회가 금지되었다. 갑작스러운 집회 금지령으로 인해 우리도 어떻게 선교사역을 할지를 두고 고민했다.

더구나 금지령이 언제까지 지속될 것인지도 모르는 일이었다. 그렇다고 무작정 일체의 외출을 삼가고, 선교센터 안에서만 있을 수도 없는 노릇이었다.

의료환경이 열악한 탄자니아에서는 코로나 감염환자들을 치료할 수 있는 의료시설이 너무나 열악했다. 코로나 감염환자가 발생하면 일단 병원에 격리시키는 것이 전부였다.

우리도 이따금 부식 구입을 위해 시장에 가는 경우를 제외하고는 일체 외출을 자제했다. 물론 시장에 가더라도 마스크를 쓰고, 손소독제를 가지고 다니며 사용했다. 이곳 관공서나 은행 등 모든 기관들의 출입은 마스크 착용과 손소독제를 사용한 후 가능했다. 궁여지책으로, 우리는 마스크를 쓰고, 이 동네 저 동네에 걸어 다니면서, 아이들에게 만화 전도지와 사탕을 나눠주며 거리 전도를 시작했다.

선교센터를 중심으로 7개 구역으로 나누어 요일별로 2시간 씩 순회 전도를 시작했다. 학교에 갈 수 없는 아이들 대부분 은 길거리나 학교 운동장에서 온종일 노는 것이 하루의 일과 가 되어버렸다.

거리에서 전도할 때, 우리를 본 동네 아이들은 활짝 웃으면 서 **"무왈리무!(Mwalimu, 선생님!)"**라고 소리치며, 반갑게 우 리를 향해 달려오곤 했다. 우리 역시 반가운 마음에 아이들 의 볼에 손을 대며, "예수 아나쿠펜다 싸나!(예수님은 너를 정 말 사랑하셔)"라며 안아 주기도 했다. 언제 끝날지도 모를 코 로나 상황에서 기약 없이 날마다 2시간씩 동네 거리 전도를 하고 있었다.

그러던 어느 날, 뜻하지 않은 일이 벌어졌다.

다름 아닌 탄자니아 대통령이 탄자니아에는 이미 코로나 팬데믹이 끝났다고 선언했다. 그리고 그동안 지켜왔던 모든 코로나 예방준칙을 철회했다.

탄자니아 현지인들은 너무나 기뻐하며 환영했다. 모든 기관 출입 시, 철저하게 지켰던 마스크 착용이나 손소독제 사용도 철회했다. 학교의 휴교령이나 종교단체의 모든 집회마저 해

제했다. 예전처럼 자유롭게 활동할 수가 있게 되었다.

우리는 대통령의 코로나 팬데믹 상황에 대한 종식 선언을 이해할 수가 없었다. 단지, 그 당시, 세계 모든 나라들은 출입국을 철저히 제한하고 있었고, 무역거래도 중단된 상황이었다. 자연 아프리카 국가들은 경제적으로 큰 타격을 받고 있었다.

그렇지 않아도 경제상황이 안 좋은 상황에서 무역거래마저 중단되었으니, 탄자니아 국내경제도 자연 악화될 수밖에 없었다. 대통령은 나라 경제를 살리기 위한 방법으로 예전처럼 모든 상황을 되돌리는 최악의 방법을 선택한 것이었다.

탄자니아의 코로나 상황을 전혀 파악할 수 없는 상황에서 우리는 마스크를 쓰고 다닐 수밖에 없었다. 그러나 현지인들 대부분은 마스크를 벗고 예전처럼 활동하기 시작했다.

우리가 마스크를 쓰고 길거리를 나설 때면, 현지인들은 우리를 보며, "코로나 끝났어요! 마스크 벗어요!"라며 놀렸다.

그러나 대통령 중간선거가 시작되면서 대통령 후보자들의 선거유세장에는 마스크를 쓰지 않은 채, 수많은 후보 지지자들이 몰려다녔다. 중간선거 결과, 전임 마구폴리 대통령이 재선에 성공했다. 그러나 얼마 지나지 않아, 마구폴리 대통령이 갑작스러운 질병으로 서거했다. 그리곤 무슬림 여성 부통령이 대통령직을 승계하여 탄자니아를 통치하고 있다.

제자 훈련으로 거듭나는 아이들

탄자니아 선교사역을 시작한 지도, 어느덧 15년이라는 세월이 흘렀다.

그동안 우리는 탄자니아 아이들이 어릴 적부터 오랫동안 함께 하다 보니 깊은 정이 들고 말았다. 10년 전에 초등학교 6~7학년 학생들은 벌써 22~23세가 되어 결혼한 자매들도 있다. 물론 아이를 키우는 자매도 있어, 앞으로 3~4년 후면, 우리가 가르치던 학생들의 자녀들을 가르치게 될 것이다.

처음 아이들의 성경 공부는 스와힐리어 마가복음 필사부터 시작했다. 그러다가 2년 전부터 영어 요한복음을 시작했다. 처음엔 초등학교 6학년부터 중학생까지 약 10명의 학생들이 참여했다. 그러자 점차 흥미가 있는 아이들이 함께 하면서, 지금은 약 30명의 학생들을 가르치고 있다.

학생들에게 영어 성경을 가르칠 때, 먼저 영어 성경 구절을 쓰게 하고, 스와힐리어로 말씀의 의미를 자세히 설명해 준다. 그리고 나서, 영어 성경 구절을 내 앞에서 암송하게 한 후, 비로소 운동장에서 하고 싶은 운동을 하게 한다. 그래서 학생들은 빨리 운동하고 싶은 마음에서 열심히 영어 성경 구절을 암송한다.

놀라운 사실은 영어 성경을 공부한 지 2년 지난 지금, 학생들의 영어 성경 구절 암송 실력이 눈에 띄게 달라졌다.

그리고 성경 말씀도 충분히 이해하게 되었고, 아이들의 행동에도 변화되는 모습이 보이기 시작했다.

평소에 아이들이 교회에서 열심히 찬양연습을 한다는 사실이다. 우리가 시켜서 하는 것도 아니고, 아이들이 자발적으로 즐겁고 기쁜 마음으로 열정적으로 연습을 하고 있는 것이 아닌가?

한 번은 무슬림 여학생에게 "혹시 성령을 느끼고 싶니?"라며 물었다. 그러자 여학생은 바로 "예!"라고 대답하기에 여학생의 머리에 손을 얹고 안수기도를 해주었다.

그러자 그 여학생은 눈물을 흘리기 시작했다. 그 여학생은 "제 마음속에 성령님이 함께 하세요!"라며 놀라운 표정을 지으며 기뻐하는 것이었다.

이제 하늘나라 갈 때까지 아이들에게 하나님의 말씀을 가르치는 일이 우리의 마지막 소망이자 꿈이 되어 버렸다.

시골 동네의 자전거 전도

송게아 지역은 고원 분지이다 보니 평평한 지형보다는 대부분 굴곡이 많은 지형이다.

그래서 대부분 주민들은 달라달라 버스보다는 오토바이나 바자지(작은 삼륜차)를 교통의 주요 수단으로 이용한다. 그러다 보니 오토바이 사고로 목숨을 잃는 사람들이 많다.

나는 매주 수요일과 토요일에 한국에서 가져온 '믿음으로 임한 하나님의 나라'라고 하는 스와힐리어 만화 전도지와 사탕을 가지고, 자전거를 타고 2시간 정도 시골 동네에 전도하러 다닌다. 길거리에 지나가는 아이들에게 전도지와 사탕을 나눠주며, 꼭 읽어보라고 권한다. 전도지를 받아 든 아이들은 얼굴에 함박웃음을 지며 좋아라 뛰어가곤 한다.

사실 아이들에겐 만화 전도지가 아주 소중한 읽을거리이다. 왜냐하면 대부분의 학생들은 교과서 없이 공부하다 보니, 당연히 집에 가도 읽을거리가 없다.

더구나 시골 동네에는 전기마저 없으니 라디오나 TV를 듣거나 볼 수도 없다. 그러니 날이 어두워지면 자연스럽게 일찍 잠자리에 든다.

하루의 삶이 고되고 힘든 아이들에게 전도지를 나눠줄 때마다, 기뻐하는 아이들의 모습에서 나 자신도 큰 기쁨을 느낀다. 정말, 과거에 사회생활을 하면서 한 번도 느껴보지 못했던 일이다. 하나님의 일을 할 때에만 느낄 수 있는 행복한 삶이 아니겠는가?

세상 가운데 도저히 느껴볼 수 없는 보람된 일들이다. 그래서 하나님의 일을 할 때, 우리의 마지막 인생의 끝자락에서도 눈에 보이지 않는 소망만을 바라며 살아갈 수가 있는 것이다.

4. 보이지 않는 소망을 바라며

예수님의 사랑을 받은 후, 나는 미래 눈에 보이지 않는 소망만을 갖게 되었다.

보이지 않는 소망을 가지고 살아갈 때, 비로소 내가 왜 이세상에 태어났는지 하는 그 존재 이유를 알게 되었다. 또한 삶 가운데 행복감을 느낄 수가 있었다.

"우리가 소망으로 구원을 얻었으매, 보이는 소망이 소망이 아니니 보는 것을 누가 바라리오." (롬 8:24)

사도 바울은 우리가 소망으로 구원을 얻었다고 말씀하고 있다. 우리는 예수님을 만남으로써 이미 구원받은 그리스도인들이다. 따라서 우리는 구원을 이루어 갈 수 있는 소망과 꿈을 가지게 되었다. 물론 우리는 세상적인 삶 가운데 갖는 미래의 소망과 꿈도 가지고 있다.

많은 사람들이 세상적으로 명예를 얻고, 또한 부귀영화를 누릴 수 있도록 열심히 땀 흘려 일한다. 세상에서 자신의 욕망을 채우는 것이 자신의 인생 목표로 생각하고, 이를 자신의 존재 이유로 생각하는 사람들도 있다.

그러나 세상 가운데 자신의 욕망대로 모든 것을 다 이루고 나면, 어딘지 모르게 마음 한구석에 허망한 생각이 들기 마련이다. 그래서 더욱더 자신의 욕망을 채우기 위해 탐욕스러운 마음을 갖게 되는 것이다.

세상적인 탐욕은 그 끝이 없다.

세상적인 탐욕은 주위의 인간관계를 악화시키기도 한다.

심지어 부자간에, 형제자매 간에도 갈등을 일으킨다.

나는 예수님을 만나기 전, 세상적으로 보이는 소망만을 쫓으며 살았다. 젊었을 때의 소망은 사회적으로 명예를 얻고, 부귀영화를 누리며, 행복한 삶을 살아가는 것이었다.

아마도 예수님을 만나지 않았더라면, 지금도 세상적으로 보이는 소망만을 쫓으며 살았을 것이다. 그러나 예수님의 사랑을 받고 난 후, 예전에 가지고 있지 않았던 보이지 않는 소망을 갖게 되었다. 내게 보이지 않는 소망이란, 오직 예수님의 사랑만을 품고 살아가는 일이다.

그래서 한 번도 가본 적이 없는 머나먼 아프리카 탄자니아 땅에서 살아가며, 탄자니아 아이들과 함께 행복한 하루하루를 보내고 있는 것이다.

나에게 보이지 않는 소망이란?

나는 처음 탄자니아 아이들을 사랑하겠다는 마음을 품고 왔지만, 막상 아이들을 만나고 보니, 나는 단지 이방인에 불과했다.

많은 아이들은 호기심에서 우리를 따랐다. 그러다 보니, 내가 탄자니아에 오기 전에 생각했던 탄자니아 아이들에 대한 마음은 단지 짝사랑에 불과했다. 더구나 서로 간의 문화 차이도 컸고, 스와힐리어가 미숙하다 보니 자연 아이들과 의사소통에도 한계가 있었다.

모든 일들이 내 뜻대로 이루어지지는 않았다.

지금에 와서야 깨닫게 된 것은 탄자니아에서 예수님의 사랑을 실천하겠다는 소망이 하루아침에 이루어지는 것이 아니라 기다리며, 참고 인내하는 시간이 필요했던 것이다.

탄자니아에서 보이지 않는 소망만을 이루기 위해 예수님의 사랑을 품고 섬김의 삶을 살아간다는 것은 그리 쉬운 일이 아니었다. 그러나 끝까지 인내하며 기다린 결과, 과거 느껴보지 못했던 참된 행복의 열매를 맺어 가고 있다.

탄자니아 아이들과 시간 가는 줄도 모르고 함께 생활하다 보니, 어느덧 내 나이 71세가 되었다. 지난해 2월, 감리교 교단본부로부터 내 나이 70세가 되었기에 은퇴 선교사가 되었다는 공문을 받았다.

2023년 3월 말로 선교사 파송 기한이 종료된다는 것이었다. 그래서 나는 여러 가지 고민을 하다가 성경 말씀이 떠올랐다.

"그 후에 내가 내 영을 만민에게 부어 주리니 너희 자녀들이 장래 일을 말할 것이며 너희 늙은이는 꿈을 꾸며 너희 젊은이는 이상을 볼 것이며."(욜 2:28)

인생은 60부터라는 말이 있지 않은가?

100세를 사는 시대에, 나는 인생 70부터라는 생각을 가지고 있다. 비록 육신이 노쇠할지라도 성경 말씀처럼 남은 일생동안 하나님을 위해 꿈꾸며, 소망을 가지고 살아갈 것이다.

그런데 얼마 후, 배우자 나이가 70세가 될 때까지 연장할 수 있다는 추가 공문을 받았다. 그래서 4년을 더 선교사로서 선교활동을 할 수 있게 되었다.

사실 지금 당장 선교지를 떠날 수는 없다.

나는 늘 마음속으로 선교사에게는 은퇴가 없다는 소신을 가지고 있다. 지금부터 본격적인 선교의 시작이라고 믿고, 새 소망을 가지고 기도하고 있다.

왜냐하면, 예수님은 내게 **"아프리카로 가라!"**라는 음성을 들려주셨기에 탄자니아에 왔다. 이제 예수님이 내게 **"한국으**

로 돌아가거라!" 라는 음성을 들려주실 때, 비로소 나는 탄자니아를 떠날 수가 있는 것이다. 따라서 앞으로 선교사역을 계속할 것인지의 여부를 결정하시는 분은, 바로 예수님이시다.

이제 내게 남은 인생의 소망은 오직 하늘나라에 갈 때까지 보이지 않는 예수님의 사랑을 탄자니아 아이들과 함께 나누며 살아가는 것이다. 더 이상 세상적인 그 어떤 소망도 가지고 있지 않다.

탄자니아 아이들의 삶이란 가난 때문인지 늘 배고프고 힘들다. 그러나 아이들의 노는 모습을 보고 있자면, 정말 생동감이 넘치는 것을 볼 수가 있다. 활력이 넘치고 웃음이 끊이질 않는다. 그 아이들의 모습에서 살아있는 생명의 율동을 느낄 수가 있다.

나는 그러한 아이들과 함께 생활하다 보면, 하루가 어떻게 지나가는지 모를 정도이다. 아이들의 모습에서 탄자니아의 미래 소망과 꿈을 본다.

물론 성경공부 시간에 아이들에게 앞으로의 꿈이 무엇인지 물어본다. 대부분의 아이들은 의사, 선생, 군인, 경찰 등의 수입이 많은 직업들을 주로 이야기한다.

이제는 아이들과 서로를 너무나 잘 아는 사이가 되어버렸다. 서로 간에 눈만 마주쳐도 서로의 감정을 느낄 수가 있게 되었다. 나는 이제야 예수님의 사랑이 진정 어떠한 것인지를 알게 되었다.

하나님에 대한 믿음이 확고한 사람은, 당장 눈에 보이는 것에 소망을 두기보다는 보이지 않는 미래에 소망을 두게 된다.

아무리 지금의 내 처지가 고통스럽다 할지라도 절대로 좌절하지 않는다. 또한 믿음의 눈으로 소망을 보는 사람은 자신뿐만 아니라 주위 사람들에게도 소망을 갖게 해 준다.

예수님의 사랑에 빚진 자

"피차 사랑의 빚 외에는 아무에게든지 아무 빚도 지지 말라 남을 사랑하는 자는 율법을 다 이루었느니라."(롬 13:8)

사도 바울은 '사랑의 빚' 이외에는 아무 빚도 지지 말라고 말씀하고 있다. 물론 이웃을 사랑하라는 말씀이다.

예수님을 만난 경험이 있는 그리스도인들은 예수님의 사랑에 빚진 사람들이다. 우리 그리스도인들은 예수님으로부터 조건 없는 영원한 사랑을 받았고, 진정한 사랑이 무엇인지를 깨닫게 된다. 나 역시 예수님의 사랑에 빚진 자이다.

우리는 세상을 살아가면서 여러 가지 빚을 지게 된다. 중요한 것은 사랑의 빚을 많이 져야만 한다.

사랑의 빚이란 **"그리스도인들이 지불해야 하는 빚으로서**

영원한 부채"라는 것이다. 왜냐하면 우리 모두는 예수님의 사랑에 빚진 사람들이기 때문이다.

나는 날마다, 예수님의 사랑에 대한 빚을 갚기 위해 예수님 앞에 나아가 회개한다. 나는 한평생을 예수님의 제자로서 사랑받으며 선교사로서 평생을 살아가기를 소망하고 있다.

예수님에 대한 사랑이 하늘나라에 갈 때까지 변하지 않도록 노력하고 있다. 그러나 탄자니아에서 선교사역을 하다 보면 현지인과 다투기도 하고, 화가 날 때도 있으며, 미워할 때도 있다. 또한 세상적으로 탐욕적인 생각을 할 때도 있다.

그럴수록 회개 기도를 열심히 한다.

날마다 십자가를 바라보면서, 내 마음속의 모든 탐욕적인 생각들을 내려놓으려 노력하고 있다. 나는 나의 믿음의 문제를 가지고, 예수님 앞에 나아갈 때도 있다. 물론 예수님께서 기뻐 받아 주시리라고 믿는다.

우리는 날마다, 예수님으로부터 고침을 받아야 예수님의 사랑을 품고 세상에 나아갈 수가 있다. 나 역시, 예수님처럼 세상가운데 성화의 길을 걸을 수 있도록 소망하고 있다.

내가 처음, '아프리카로 가라!'라는 소명을 받았을 때, 직장을 포기하기란 그리 쉽지 않았다. 그러나 성령의 도우심으로 과감히 내려놓을 수가 있었다. 우리가 살아가는 삶 가운데 모든 탐욕스러운 마음을 내려놓을 때, 비로소 예수님의 형상을 닮아가는 성화의 길을 걸을 수가 있다. 나는 예수처럼 탄자니아에 상처 입은 어린 영혼들을 치유하는 사랑의 치유자가 되도록 노력하고 있다.

세상 가운데 상처받고 어렵게 살아가는 불쌍한 영혼들에게 다가가고 싶다. 이기적인 사랑이 아닌 예수처럼 이타적인 사랑을 베푸는 사랑의 치유자가 되고 싶다.

지금도 나는, 예수님의 향기를 지닌 그리스도인으로서 세상 가운데 축복받는 삶을 살아가는 선교사가 되고자 노력하고 있다.

미국 시애틀, 18년 만에 방문

2022년 9월 20일 새벽, 캐나다 밴쿠버에서 개최하는 제1차 선교대회에 참석하기 위해 국제공항이 있는 수도 다르에스살렘으로 향했다.

다음 날, 우리는 줄리어스 니에레레 국제공항에 도착해서 코로나 신속검사를 마치고, 23일 새벽에 카타르항공기에 탑승하여 카타르 도하공항에서 환승, 시애틀행 카타르항공기에 탑승했다.

14시간 30분의 긴 비행 끝에 당일 정오쯤 시애틀에 도착했다. 시애틀 타코마공항에는 오랜만에 만나는 처남과 처제가 마중 나와 있었다. 18년 만의 만남이었다. 정말 오랜 세월이 흘러, 다시 만나는 재회의 기쁜 순간이었다.

시애틀에서 5일간의 여정을 보내면서, 우리의 선교사역을 위해 기도와 후원을 해주었던 시애틀 큰사랑교회의 토요 새벽기도회에 참석하고, 주일예배를 드렸다.

캐나다 밴쿠버 제1차 선교대회를 마치고 나서, 다시 시애틀 큰사랑교회로 돌아와, 수요예배에서 교인들에게 우리의 선교사역을 동영상으로 생동감 있게 보여드렸다. 그리고 '구하라 찾으라 두드리라'(마 7:7-11)라는 주제의 설교를 했다.

내가 탄자니아 선교사로서 소명받은 이후, 지금까지 선교사역을 어떻게 이루어 왔는지 교인들에게 상세히 설명했다.

비록 짧은 기간 동안의 만남이었지만, 교회 담임 목사님과 장로님들, 그리고 교인들이 진심으로 우리를 환대해 주셨다.

항상 우리의 선교사역에 관심을 가지고 기도와 물질의 후원을 해주시는 큰사랑교회 모든 분들에게 감사한 마음뿐이다.

밴쿠버 제1차 선교대회에 참석하다

2022년 9월 29일 오전, 처남의 차로 캐나다 밴쿠버 주님의 제자교회로 출발했다.

캐나다 국경에서 간단한 입국 수속절차를 마치고, 밴쿠버에 도착했다. 2004년 장인어른 장례식 참석차 캐나다 밴쿠버공항을 방문한 지, 만 18년 만의 캐나다 방문이었다.

우리는 밴쿠버 주님의 제자교회에 도착해서 교회 장로님들과 인사를 나누었다.

곧바로 홈스테이를 위해 교회 권사님 댁을 방문했다. 권사님 댁은 바로 산 중턱에 위치해 있었으며, 집 뒤에는 바로 골프장이 자리 잡고 있었다. 종종 엄마 곰과 아기 곰이 출몰하여 집 울타리를 넘어오는 경우도 있다고 한다.

모든 여장을 푼 후, 장로님 한 분이 자신의 차량으로 줄곧 우리를 에스코트해 줬다. 선교대회 첫날엔 전체적인 일정에 대한 오리엔테이션과 독일 한인교회 담임목사의 '세계 선교의 동향'이라는 주제의 세미나가 있었다.

다음 날, 각 나라별 '미래 선교동향 및 전략과 지역교회와의 선교 협력방안'이라는 주제 발표가 있었다. 각 나라 선교사들과 교회 교인들은 각 나라별 선교현장을 직접 체험할 수 있는 '몸으로 배우는 선교'라는 만남의 장을 가졌다.

'만남의 장'에서 교회 교인들은 각 나라별 선교사들의 선교체험담을 듣고, 그 나라의 문화를 이해할 수 있도록 전통의상을 입어 보기도 했다. 저녁에는 각 나라별 선교사들의 선교현황 소개가 있은 후에 성령집회의 시간을 가졌다.

마지막 날, 주일예배에서 나는 "구하라, 찾으라, 두드리라"(마 7:7~11)라는 주제로 설교를 했다. 저녁에는 마지막 성령집회가 있었는데, 얼마나 뜨거웠던지 그 열기가 이루 말할 수가 없었다. 교인들을 안수기도해 주는 시간을 가졌었는데, 많은 교인들이 눈물로 기도하는 모습을 보았다.

나 역시, 선교사 파송 이후, 15년 만에 뜨거운 성령 충만함을 느끼며 은혜받는 시간이었다. 영성이 회복되는 순간이기도 하였다.

밴쿠버 제1차 선교대회의 공식 일정이 모두 끝나고, 주님의 제자교회 장로들이 선교사들을 위해 주변의 관광지를 잠시 둘러보며 휴식 시간을 갖기도 했다. 우리는 페리호를 타고 드넓은 빅토리아 호수를 가로지르며 바닷바람을 맞으며 함께 즐거운 시간을 가졌다.

빅토리아시에 도착해서 엠프레스 호텔과 의회 건물, 그러고 나서 아름다운 이너 항구 등을 돌아보았다. 그러고 나서, 부처드 가든(꽃 정원)을 둘러보았는데, 너무나도 아름다운 꽃들이 만개가 되어 우리의 마음을 흡족게 해 주었다.

Wesley Mission Global College 설립

우리는 송게아에 세울 신학대학 명칭을 'Wesley Mission Global College'라고 정했다.

2018년 9월부터 나는 송게아시청 토지과 직원들과 함께 대학 건축부지를 조사하기 시작했다. 그러나 송게아 지역에서는 대학을 세울만한 적합한 부지를 찾을 수가 없었다.

대학 건축을 위해서 먼저 송게아와 근접한 지역으로 도로가 인접해 있어야 하고, 전기와 수도 등을 대학에 인입할 수 있어야 했다. 대학 인근에는 주민들이 거주하는 마을이 있어야 했기에, 이처럼 다양한 조건을 갖춘 땅을 찾기 란 쉽지 않았다.

3개월 후, 어느 날 한 젊은이가 우리 선교센터를 찾아와서 리웨나 지역에 큰 밭을 소유하고 있는데, 매도하고 싶다는 것이었다. 그 땅을 둘러보았는데, 우리 선교센터로부터 자동차로 약 7분 정도의 거리에 위치해 있었다.

더구나 주변에 마을도 있었고, 전기와 수도 연결이 가능한 지역이었다. 그 땅을 보는 순간, 바로 이 땅이 신학대학을 세울 땅이라는 믿음이 생겼다.

바로 송게아시청 직원들과 함께 그 토지 측량을 했다. 대학 입학 정원이 100명 이상일 경우, 건축 부지가 최소 20에이커(2만 4천평)가 되어야 했기에, 다른 소유주들의 밭 2필지를 추가로 측량했다.

측량 결과, 전체 땅의 크기는 20.6에이커(24,718평)였다. 측량이 끝난 후, 나는 송게아시청 토지과에 측량했던 지적도를 복사해서 가져왔다. 막상 지적도를 살펴보니 그 전날에 측량했던 토지 면적과 약 7에이커(8천 4백평) 차이가 났다.

큰 토지 소유주가 측량이 끝난 후, 추가로 측량한 다른 토지를 이미 매입했다는 것이었다. 나는 큰 땅의 소유주에게 당초 측량했던 지적도대로 등기를 마친다면, 다시 계약을 추진하겠다고 알렸다. 그러고 나서 우리는 한국으로 떠났다.

한국에서 돌아온 후, 어느 날 우리 선교센터에 한 중년 여성이 찾아왔다. 그녀는 우리가 매입하려고 했던 큰 땅 주인과 공동 소유주라는 것이었다. 너무나 갑작스러운 그녀의 말에 우리는 당황했다. 왜냐하면 우리는 그녀가 찾아오기 전까지, 그 큰 땅은 한 사람의 소유인 줄로만 알고 있었기 때문이었다.

만약 우리가 모르고 그 땅을 매입했더라면, 그 형제들로부터 소유권 문제로 소송에 휘말릴 뻔했던 것이었다. 정말 하나님의 보호하심이었다. 그래서 나는 그녀에게 형제들과 모든 합의를 끝내고, 토지 소유주가 명시된 토지 등기서류를 가져온다면, 매매 계약을 추진하겠다고 말했다. 그녀는 기쁜 표정으로 돌아갔지만, 4년이 지난 지금도 나타나지 않고 있다.

미래 선교 비전과 전략

"사람이 마음으로 자기의 길을 계획할지라도 그의 걸음을 인도하시는 이는 여호와시니라."(잠 16:9)

2009년 첫 선교지인 도도마에 도착했을 때, 우리는 이미 한국에서 세웠던 선교 비전과 전략을 가지고 설레는 마음으로 선교사역을 시작했다. 그러나 그것은 한낱 우리의 계획일 뿐, 하나님은 우리에게 다른 선교 비전과 전략을 보여 주셨다. 우리는 Wesley Mission Tanzania의 비전을 송게아 지역 복음화와 크리스천 리더 양성, 일 자리 창출과 지역 주민들을 위한 구제사업 등으로 정했다.

그리고 탄자니아 선교 전략으로는, 첫째, 교육(Education) 전략으로 유치원과 신학대학, 평생교육원 설립을 추진하는 일이다. 둘째, 일(Work) 전략으로 크리스천 리더들에게 신학과 기술교육을 통해 지역복음화를 추진하는 일이다. 셋째, 삶(Life) 전략으로 지역주민들의 삶의 질을 높이기 위해 보건위생, 주거환경, 구제사업 등을 추진하는 일이다.

『선교 비전 및 전략』

- 송게아 지역 복음화와 변혁 추구
- 신학대학 운영을 통한 크리스천 리더 양성
- 일 자리 창출을 통한 삶의 질 향상
- 삶의 질을 개선하기 위한 각종 구제사업

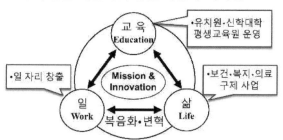

다 이루었다!, "사랑은 율법의 완성"

"예수께서 신 포도주를 받으신 후에 이르시되 다 이루었다 하시고 머리를 숙이니 영혼이 떠나가시니라."(요 19:30)

2009년 6월 탄자니아로 떠나기 전, 날마다 기도할 때마다, 성령께서 내게 '**다 이루었다!**'라는 말씀을 주셨다.

아직 탄자니아로 떠나기 전이었기에 '다 이루었다'라는 의미가 과연 무엇일까?

돌이켜 생각해 보면, 우리가 탄자니아에 오기 전, 하나님은 앞서서 모든 것을 이루시기 위해 다 준비해 놓으셨던 것이다. 그래서 늘 마음속으로 **"다 이루었다!"**라는 확신을 가지고 선교사역에 임하고 있다. 그럴 때마다, 진정 하나님의 은혜와 축복에 대한 감사의 기도가 절로 나올 수밖에 없다.

"하나님, 저를 이곳 탄자니아에 보내주셔서 아이들과 함께 생활하며 사랑할 수 있는 마음을 주셔서 정말 감사합니다."

예수님은 십자가를 지시고 골고다 언덕을 향해 고난의 길을 걸으셨기에, 우리에게 십자가의 사랑을 보여주셨다. 그리고 마지막으로 하나님의 구원 사역을 다 이루시고, 십자가 위에서 **"다 이루었다!"**라고 외치셨다.

우리는 늘 예수님의 말씀에 순종해야만 비로소 예수님을 사랑할 수 있고, 하나님 아버지께 사랑받을 수가 있는 것이다. 나 역시 예수님의 사랑을 입은 자로서 예수님의 계명에 순종하고자 이곳 탄자니아 아이들을 섬기고 있다.

처음 예수님의 사랑을 받았을 당시만 하더라도 예수님이 나를 사랑하신다는 사실 자체로 만족했다. 그러나 예수님은 탄자니아 아이들을 더 사랑하신다는 사실도 깨닫게 되었다.

"사랑은 이웃에게 악을 행하지 아니하나니 그러므로 사랑은 율법의 완성이니라."(롬 13:10)

사도 바울은 '**사랑은 율법의 완성**'이라고 말씀하고 있다.

하나님은 독생자 아들 예수 그리스도의 십자가 위에서의 죽음을 통해 우리를 율법의 정죄에서 구원해 주셨다. 또한 율법의 속박으로부터 우리를 해방시켜 주셨다.

사도 바울은 **"내가 예언하는 능력이 있어 모든 비밀과 모든 지식을 알고 또 산을 옮길 만한 모든 믿음이 있을지라도 사랑이 없으면 내가 아무 것도 아니요."(고전 13:2)**라고 말씀하고 있다.

우리의 궁극적인 선교적 사명은 하나님을 사랑하고, 이웃을 사랑하는 것이다. 그래서 예수님으로부터 받은 사랑을 현지인들과 함께 나누는 일이라고 생각한다.

아무리 선교지에 큰 교회와 학교를 세웠다 할지라도, 그곳에 예수님의 사랑이 없으면, 결코 선교의 열매를 맺었다고 할 수가 없는 것이다. 나의 마지막 소망은, 이곳 탄자니아에서 아이들이 커가는 모습을 지켜보며, 함께 기뻐하며, 함께 꿈을 이루어 나가는 것이다.

미 주

(1) 다석사상연구회(http://www.dasuk.or.kr)

(2) 현재학회(http://www.hyunjae.org)

(3) 이용도, 변종호 편, 『이용도 목사 전집』, 2004.

(4) 「존 웨슬리의 생애」, (김진두 저, 기독교대한감리회, 2006. 12)

(5) https://en.wikipedia.org/